HEL TAI
O Dŷ Plant i Dŷ'r Arglwyddi

I   Iris.

Atgofion Gil,

Roy.

26-11-10

HEL TAI
O Dŷ Plant i Dŷ'r Arglwyddi

ATGOFION
ROGER ROBERTS

© Roger Roberts ℗

Gwasg y Bwthyn

2010

ISBN 978-1-907424-12-0

Dymuna'r cyhoeddwyr
gydnabod cymorth
Adrannau Cyngor Llyfrau Cymru

Diolch i Geoff Thompson am ei gyfraniad i'r clawr

Cyhoeddwyd ac argraffwyd gan
Wasg y Bwthyn, Caernarfon

CYNNWYS

Pennod 1

O Dŷ Plant i Dŷ'r Arglwyddi

Ni fwriadwn erioed fynd yn weinidog i Ganada ond yn 2003 daeth gwahoddiad i ofalu dros dro am gapel Dewi Sant yn Toronto. Roedd aelodau Capel Dewi Sant wedi llogi 'apartment' delfrydol i mi ar gyfer y chwe mis roeddwn i weinidogaethu yno. Cyfeiriad crand yr 'apartment' oedd Du Maurier Boulevard, taith o ryw ddeng munud o'r capel a rhyw hanner munud o drenau'r 'subway'.

Ar noson oer, y 3ydd o Ragfyr wedi cyrraedd fy llety a chodi'r ffôn roedd neges fod Charles Kennedy am air efo fi. Cynnig oedd ganddo i mi fynd ar restr y Democratiaid Rhyddfrydol i Dŷ'r Arglwyddi.

Beth fyddai Mam a Nhad yn ei ddweud? Cynnig na allwn ei wrthod ac eto rhyw gynnig annisgwyl i weinidog Wesle cwbl werinol. Am wythnosau wedyn wrth edrych yn y drych, dywedwn wrthyf fy hun 'Roger, rwyt ti am fod yn Arglwydd!' Fy ymateb oedd, 'Paid â bod yn wirion!' Meddwl am yr Arglwyddi lleol – Mostyn, Aberconwy, a'r Marcwis yn Sir Fôn. Rhywfodd, doedd 67 Bryniau Road ddim cweit mor foethus â Bodnant, Plas Newydd a Mostyn Hall! Bachgen wedi ei eni yn Rhiwabon, ei fagu yn Llanrwst, Conwy a'r Junction yn cyrraedd Tŷ'r Arglwyddi!

Pan oeddwn yn weinidog yn Llangollen roeddwn yn teithio'n aml drwy Riwabon ac yn cofio mai yno mewn cartref mamolaeth – os deellais yn iawn, 'Dr Jones' Maternity Home' y'm ganed. Chwalwyd yr adeilad ac nid oes cerflun na phlac i ddweud dim o'i hanes! Ond yno ar Hydref 23 1935 y gwelais olau dydd.

Y rheswm gwreiddiol dros osod yr atgofion hyn ar bapur oedd er mwyn i'm plant a'm teulu wybod peth am fy nghefndir. Sawl gwaith rydym ni wedi edifarhau i ni beidio â holi ein rhieni am hanes teulu a llu o ddigwyddiadau yn y gorffennol. Petawn i wedi gwneud hynny mae'n bosib y byddai'r llyfryn tenau hwn yn gyfrolau swmpus!

Cefais fy ngeni yn Rhiwabon ond yn Tŷ Plant, Ffordd Nebo, Llanrwst y treulais y pedair blynedd gyntaf o'm bywyd. Rhyw saith o dai ar ffordd Nebo yw Tŷ Plant. Cefais ambell drochiad dan yr hen bwmp dŵr a chrwydro ar draws y ffordd ar lan nant hudolus yng nghysgod coed. Dyna un o'm hatgofion cynharaf.

Enw fy mam a'i chyfenw cyn iddi droi yn Roberts oedd Alice Ellen Parry a ganwyd hi ar Fedi 20, 1907. Roedd y teulu yn byw yn 14 Station Road, Llanrwst. Un o Bentre-foelas oedd fy nhaid Samuel Parry, yn agos iawn i gartref hen nain Abraham Lincoln ond does dim gwir yn y si ein bod yn perthyn i Lincoln, nac i neb enwog arall hyd y gwn i. Saer Coed oedd Sam Parry, yn flaenor yng Nghapel Annibynwyr y Tabernacl. Sam Parry, 'Cooper' oedd enw'r dre ar fy nhaid ac yng ngweithdy'r saer roedd yn feistr nid yn unig ar greu offer corddi ond ar wneud cadeiriau eisteddfodol.

Dwi'n cofio'n dda mynd i gartref y prifardd Caradog Prichard yn Llundain, ac yno, mewn dinas lle na bu nhaid erioed, yn cael eistedd mewn cadair a luniwyd ganddo ac a enillwyd gan Caradog. Dyna wefr! Wedi swper yng nghartref Caradog a Mati yn St John's Wood yn Llundain, cael fy holi gan Caradog a minnau'n dweud mai Sam Parry, Llanrwst oedd fy nhaid. Cael fy hebrwng i ystafell arall a Caradog yn dweud, 'Dyna gadair a wnaeth Sam Parry ac fe'i henillais yn Eisteddfod Pentrefoelas!'

Siop fach oedd gan Taid a Nain, hefyd yn 14 Station Road. Siop yn gwerthu llestri, anghenion cegin ac offer corddi. Gwraig o Ddolgellau oedd Nain ac roedd ganddi hi a'm taid wyth o blant ar aelwyd Station Road – Bob, Aled, Myfanwy, Elsie, Laura, Sam Prys, John ac Alice, fy mam. Bonheddwr tawel oedd Bob, yn flaenor yn ei gapel, yn glerc ar y rheilffordd ac yn orsaf-feistr yn Afon-wen ger yr Wyddgrug. Un llawn hwyl a bywyd oedd Aled a bu farw o fewn tair wythnos i'w gant oed. Llanrwst oedd ei gartref ar ôl dod adref o ryfel 1914-18 ac wedyn bu'n was sifil a hefyd yn flaenor a phregethwr cynorthwyol yng nghapel Tabernacl yr Annibynwyr. I'r diwedd roedd ganddo lond pen o wallt a medrai ddarllen heb sbectol! Siom oedd na chyrhaeddodd ei gant ac na chawsom y te oedd i'w baratoi yng ngwesty'r Eryr! Saer coed oedd Sam Prys a bu fyw yn Llanrwst ar hyd ei oes. Bu farw John yn ifanc ac roedd wedi ei lesteirio ar ôl cael Meningitis.

Aeth Myfanwy i weini i Lerpwl a phriodi yno ac roedd

9

Laura – "auntie Lois neu Loss" yn byw efo ni ar ôl i ni symud i Gonwy ac rwy'n ei chofio hi fel 'conductor' ar fysus Crosville yn ystod y rhyfel. Fe briododd a mynd i fyw i Woking, Surrey. Bu farw ar enedigaeth ei merch Margaret Laura yn 1948. Heddiw mae Margaret yn byw yn Sydney, Awstralia ac fel chwaer i ni. Aeth yno i weithio efo British Airways.

Athrawes oedd Elsie ac ar ôl priodi bu fyw yn Llan-ddoged a Bae Colwyn.

Bu Mam yn forwyn fach ym Mhlas Cae Groes, Llanrwst ac ar ôl hynny yn gweithio mewn siopau yn y dref. Priododd fy nhad, Thomas Charles Roberts, ar Hydref 9ed 1930.

Un o Gapel Garmon oedd fy nhad a anwyd Mai 31, 1904, yn fab i Thomas ac Annie Roberts, Rhiwgri View. Daeth Nain o deulu Central Buildings, Conwy a chollwyd ei thad 'Owen Williams, Mariner' yn 1869. Ail-briododd ei mam efo Plismon Capel Garmon a newidiodd ei chyfenw o Williams i Griffiths. Mae ei bedd ym mynwent Capel Garmon. Roedd teulu Central Buildings yn Wesleaid selog ac yn Rhyddfrydwyr cadarn.

Un o Fetws-y-coed oedd Taid ac yn cadw siop ym mhentref Capel Garmon, sef Rhiwgri View. Nain oedd yn gofalu am y siop tra oedd fy nhaid yn chwarelwr ym Mlaenau Ffestiniog. Yr hanes yw ei fod ef ac eraill yn cerdded bob bore o Gapel Garmon i orsaf reilffordd Betws-y-coed i ddal trên i Flaenau Ffestiniog. Cerdded wedyn i'w lle ar y graig. Golygai hynny ddwy neu dair awr o deithio cyn dechrau ar waith y dydd.

Y mab hynaf oedd Roger a aeth i gadw Swyddfa Bost a siop a becws ym Mhenmachno. Fe briododd â Hilda, Bryn Glas a ganed iddynt un ferch, sef Annie. Yr ail fab oedd Griffith, y bu farw ei wraig gyntaf yn ifanc, yna priododd â May o Bentregwyddel, Llanddulas a ganed iddynt un mab, Dewi. Pobydd oedd Yncl Griff, yn Gynghorydd Sir ac yn swyddog prysur yn ei blwyf ac yng nghapel Bethania, Penmachno. Wedi ymddeol symudodd y teulu i gadw Tŷ Capel, Trinity Road, Bootle.

Mae'n rhyfedd y nifer o deuluoedd o Benmachno a'r Cwm a aeth i gadw tai capel. Yn Lerpwl, yng nghapeli Oakfield Road, Trinity Road, Waterloo, a Stanley Road, teuluoedd oddi yno oedd yn gofalu. Yng Nghyffordd Llandudno wedyn beth a wnaem ni heb Gwynfor ac Eirian Jones a'r teulu, ym Mron-y-nant Mrs Owen, yn y Rhyl teulu Johnnie Williams.

Ond yn ôl i Gapel Garmon. Ar aelwyd Rhiwgri View hefyd roedd eu cyfnither Margaret.

Trydydd mab Rhiwgri View oedd fy nhad Tom. Bu'n gweithio yn Helygain, wedyn yng ngwaith alwminiwm Dolgarrog a'r rhan fwyaf o'i oes yn Felin Lifio Morfa Conwy. Wedi priodi Mam bu'n byw yn gyntaf yn 6 Tŷ Plant, Llanrwst ac yno roedden nhw pan gefais i fy ngeni yn 1935 a Thomas Samuel fy mrawd ar Fehefin 10, 1938.

Ar ddechrau'r rhyfel, yn 1940, er mwyn bod yn nes at waith fy nhad symudodd y teulu i 12 Llewelyn Street, Conwy, un o nifer o dai oedd gan deulu Central Buildings. Ac yno ganwyd fy chwaer Janet Eleanor ar Ionawr 29, 1943. Yr enw ar rai a anwyd oddi mewn i furiau tref Conwy yw

11

'Jackdaw'! Er i bob un ohonom feddwl y byd o Gonwy, Janet oedd yr unig Jackdaw yn ein teulu ni. Bu farw'n sydyn yng Ngorffennaf eleni.

Ar farwolaeth chwaer fy mam ar enedigaeth ei merch Margaret Laura a anwyd Hydref 4, 1948, daeth y plentyn yn aelod cyflawn o'n teulu.

Yn Ysgol Babanod Llanrwst roeddwn yn un o'r Band Taro. Mae'n debyg mai un swnllyd fûm erioed! Ond wedi symud i Gonwy, yn Ysgol Town Ditch (Bodlondeb wedyn) y cefais fy addysg. Oddi yno i ysgol Rosehill Street ac yn 1947 wedi llwyddo yn arholiad y 'Scholarship' cael mynd i ysgol Ramadeg John Bright, Llandudno. Meddwl fy hun yn seren! Cap ysgol gwyrdd, blaser a bag i gario'r llyfrau. Dal i wisgo esgidiau hoelion a'r hoelion yn beryg bywyd – hawdd sglefrio a syrthio! Wedi cael trên i Landudno cerddwn yr ychydig ffordd i'r Ysgol. Gwnes ffrindiau oes yn nosbarth 1A er fy mod, meddan nhw, yn fachgen *serious* ac yn tueddu i fwynhau fy niddordebau personol fel cymryd rhan mewn dadleuon, dramâu a chanu.

Capel Wesle, y Tabernacl, ar sgwâr Conwy oedd capel y teulu. Capel eang a hardd, pwysig ym mywyd y dref a llawer o'r pysgotwyr yn aelodau yno. Y Parch. D. R. Thomas oedd y gweinidog ac yn y sêt fawr rhai fel Mr J. T. Jones, Cadnant Park a'n dysgodd i ddilyn y 'Modulator' er mwyn canu sol-ffa; Mr John Roberts, Twthill, Mr Prydderch, y Morfa a Mr William Evans y gof, y ddau yn pregethu'n gynorthwyol.

Yn yr Ysgol fach sefais arholiad y Maes Llafur – rhaid ein bod y arbennig o ddeallus ar Gylchdaith Wesleaidd Conwy oherwydd prin fod yr un plentyn yn cael llai o farciau na 98 allan o 100! Yn yr Ysgol fawr cefais gwmni Mrs Jones, Crown Lane, a hi oedd y cyntaf i holi fy mhrofiad Cristnogol. Yn y 'Detholiad' roedd yr emyn 'Y Gŵr wrth Ffynnon Jacob' a minnau yn dweud wrth Mrs Jones 'Ew, dwi'n licio'r emyn "Y Gŵr wrth Ffynnon Jacob",' a hithau'n gofyn, 'Wyt ti'n ei nabod o, Roger?'

Yno dechreuais gymryd rhan yn gyhoeddus – adrodd adnod ar nos Sul, a rhaid cyfaddef nad oeddwn yn rhy frwdfrydig i ddysgu rhai newydd! Roedd yr adnodau lleiaf fel 'Cofiwch wraig Lot', 'Yr Iesu a wylodd' a 'Duw cariad yw' yn boblogaidd iawn. Ydio'n wir, sgwn i, i un plentyn adrodd 'Mae gwraig Lot yn cofio atoch chi!'

Yn Ysgol John Bright roedd cantores ifanc pryd golau ac er na ddigwyddodd dim mwy na rhyw gydnabod ein gilydd, dyna pryd y bu i mi gyfarfod ag Eirlys a ddaeth yn briod i mi yn 1962.

Mynd trwy'r ysgol – S. O. Rees yn brifathro, rhai fel T. I. Davies, Miss Doris Edwards, Miss Emily Davies a Charles Jones yn dylanwadu'n gryf arnaf – dwi'n dal i wgu wrth ddarganfod 'Split infinitive'! Roedd Charles Jones yn rheoli drwy ofn, ond pob un ohonom yn llwyddo yn ein harholiad Saesneg. Ffordd wahanol, fwy addfwyn, oedd gan yr athrawon eraill a gobeithio nad ein hymddygiad ni a barodd i Miss Emily Davies ein gadael a mynd yn athrawes genhadol i Affrica! I Mr T. I. Davies mae'r diolch am lawer o'm diddordeb gwleidyddol; roedd ganddo weledigaeth fyd-eang. Ond, hyd yn oed yn yr ysgol roeddwn yn rhoi gormod o amser o lawer i wleidydda. Roeddwn wrth

reddf yn Rhyddfrydwr ac yn sicr fod gwawr wleidyddol i
ddod.

Roedd Mam yn awyddus i mi ddysgu canu'r piano ac yn
fy anfon i gael gwersi at Miss Allan, Sychnant Pass Road,
Conwy. Cerddais yno bob wythnos, cael rhyw awr o wers
ond ddim yn ymarfer o gwbl. Aeth y deg wythnos gyntaf
heibio a Miss Allan yn oddefgar ond ar ôl yr ail gyfres cael
adroddiad i'w roi i Mam. Ei agor yn slei wrth gerdded
adref: 'To continue with Roger's piano lessons is a waste of
my time and of your money!' Cerydd a hwnnw'n
haeddiannol. Dyna ddiwedd ar y gwersi piano ac rydwi'n
edifar hyd heddiw. Mae Rhian, Siân a Gareth, fy nhri
phlentyn, wedi llwyddo lle methodd eu tad. Yn wir,
enillodd Siân radd anrhydedd mewn cerddoriaeth yn y
Brifysgol yn Aberystwyth.

Pennod 2

Bangor ac wedyn

Er yr holl ddiddordebau hynny cefais y tri lefel A a'm derbyn yn 1952 i Goleg y Brifysgol ym Mangor. Fy nghartref am y tair blynedd hynny oedd gyda Mrs Davies, 6 Well Street. Dau Fedyddiwr a ddaeth yn amlwg iawn wedyn oedd yn cyd-letya â ni. Dafydd Henry Edwards a Hugh Matthews a ddaeth yn llywyddion Bedyddwyr Cymru a Huw yn bennaeth eu Coleg Diwinyddol. Hefyd Mr Gaffney, Rheolwr y County Cinema, ond er i ni fod yn dra chyfeillgar doedd dim seddau am ddim i'r un ohonom ni!

Tair blynedd hapus, a llwyddo i wneud llawer o ffrindiau, ac mae rhai wedi dal hyd heddiw, dau, Harri Parri a William Owen, yn enwog ym myd drama, llên a phulpud. Yma eto fy ngwendid oedd gwleidydda gormod ac astudio rhy ychydig. Cefais fy newis i'r SRC – Cyngor y Myfyrwyr ond, coeliwch neu beidio, roedd elfen swil yn perthyn i mi.

Cynhaliwyd Gwasanaeth y Brifysgol yn flynyddol ac un o'r oedfaon mwyaf dylanwadol oedd gan y Dr Martin Lloyd-Jones ar droedigaeth Saul o Darsus. Penderfynais ymgeisio am y Weinidogaeth yn dilyn oedfa'r Brifysgol dan arweiniad un arall o dywysogion y pulpud, Dr Donald Soper.

Y pryd hynny roedd nifer dda ohonom am ymateb i'r alwad i fod yn weinidogion. Rydwi'n cofio yn y 6ed dosbarth yn Ysgol John Bright fod Allan Craven, Tony Williams, John J. P. Roberts a minnau yn mynd ymlaen i fod yn weinidogion. Mor ddiweddar â'r pumdegau roedd hogia yn dewis gwneud hynny. Ym Mangor roedd colegau gan y Bedyddwyr a'r Annibynwyr ond fi oedd yr unig ddarpar weinidog Wesle! Ond, roedd eciwmeniaeth a chyfeillgarwch yn iach iawn yno.

Fel y rhan fwyaf o fyfyrwyr roeddem yn gorfod gweithio yn ystod misoedd yr haf. 'Conductor' i gwmni Crosville oedd fy swydd gyntaf, wedyn 'waiter' yng ngwesty'r Metropol, Bae Colwyn ac yn drefnydd i'r Rhyddfrydwyr yn Ynys Môn.

Wedi graddio a disgwyl mynd i Goleg Diwinyddol, anfonwyd fi ym Medi 1957, oherwydd prinder gweini-dogion, yn Weinidog 'ar brawf' i Aberdaron. Yn yr Eglwys Fethodistaidd cyn eich ordeinio yn weinidog cyflawn rhaid oedd treulio tair neu bedair blynedd 'ar brawf'. Bûm yn Aberdaron am flwyddyn ac wedi hynny ym Medi 1958 i'r coleg diwinyddol yn Handsworth, Birmingham. Roedd yn amser difyr er nad oedd fy Ngroeg na'm Hebraeg ddim gwell ond trwy ryw ryfedd wyrth enillais wobr yr Hen Destament ond cyn cwblhau cwrs B.D. anfonwyd fi am dair blynedd arall i Aberdaron.

Tra yn Handsworth cefais y fraint o gyfarfod â nifer o fechgyn sydd wedi aros yn ffrindiau hyd heddiw. Bryd hynny bechgyn yn unig oedd yn cael mynd i'r weinidogaeth. Erbyn hyn newidiodd y drefn ac ychydig iawn sy'n mynd yn syth o ysgol neu goleg i astudio am y weinidogaeth. Merched a dynion â phrofiad mewn gyrfaoedd eraill yw bron bob un sy'n ymgeisio am y weinidogaeth ac mae cymaint o ferched ag sydd o ddynion. Daeth dydd fy mhriodas ar Hydref 27, 1962, a finnau wedi fy ordeinio gyda Gwyn Hughes, Bwlch-gwyn ac Ifor Williams, Llanrhaeadr-ym-Mochnant y Mehefin cynt yn St Paul, Aberystwyth. Erbyn heddiw mae Ifor a Gwyn wedi marw. Yng nghapel Bryn Pydew priodais â'r gantores bryd golau, Eirlys Ann Roberts o'r pentref hwnnw. Un o bedwar plentyn yr anghymharol Mrs Catherine Grace Roberts, Hyfrydle, Bryn Pydew oedd Eirlys. Roedd Mrs Roberts yn weddw ers blynyddoedd lawer ac wedi stryglo i fagu'r pedwar. Roedd gan Eirlys ddau frawd Tom a Stan a chwaer Rhiannon. Wedi mis mêl yng Nghaeredin symudodd Eirlys a minnau i Fryn Crug, Aberdaron, bynglo pren – *tongue and groove* – i wynebu gaeaf caled 1962 pan rewodd popeth, hyd yn oed y botel ddŵr poeth!

Trefnwyd i'r Cyfarfod Taleithiol ddod am yr unig dro erioed i Aberdaron gan lenwi'r capeli i wrando ar John Roger Jones, Tegla Davies, J. Gwyn Jones, John Alun Roberts, Dr Tudur Jones, T. G. Ellis, O. Maurice Jones, Robin Williams, D. R. Evans, Richard Jones B.Sc., Deiniolen ac eraill. Wrth edrych yn ôl credwn fod cewri yn yr oes honno.

Ym Medi 1963 symudem i Ryd-y-foel, Abergele. Yno ar Dachwedd 21, 1963 ganwyd Helen Rhian – 8 pwys, saith owns. Wedi symud i Langollen ym Medi 1965 daeth Siân

Eleri i'r byd ar Fehefin 5, 1966 – naw pwys chwe owns ac ar Ragfyr 24, 1969 Gareth Roger – deg pwys pum owns! Beth fyddai'r pwysau petai rhagor o blant?

Roedd cynulleidfa gref yn Rhyd-y-foel a chanu pedwar llais. Onid oedd nifer o gantorion Côr Meibion Llanddulas yn gefn i'r achos? Roedd capeli eraill dan fy ngofal sef Llysfaen, Betws-yn-Rhos, y Dawn a Llanddulas a phob un â'u nodweddion arbennig. Y Parch. D. R. Evans, y dechreuais bregethu odano, oedd yr Arolygwr ac yn byw yn Abergele. Tra ar y gylchdaith trefnwyd i'r Gymanfa Gymreig gael ei chynnal yn Abergele. Rhaid i mi fod yn hoff o drefnu cynadleddau oherwydd eto pan oeddwn yn Llangollen cafwyd ymweliad llwyddiannus iawn o'r Gymanfa Gymreig.

Am bum mlynedd bûm yn Arolygwr Cylchdaith yn Llangollen cyn symud ym Medi 1970 i Landudno gan ddilyn dau weinidog annwyl iawn i mi, Huw Rowlands a John Alun Roberts.

Byddwn ar goll yn llwyr oni bai am garedigrwydd Aluna, merch John Alun, ei gŵr William, Mair y ferch ac Alun y mab ar ôl marwolaeth fy mhriod Eirlys ar Dachwedd 22, 1995. Agorwyd eu cartref ac fe'm croesawyd fel un o'r teulu. Colled enfawr i bawb oedd yn ei adnabod oedd marwolaeth William ym Mawrth 2007. William oedd un o'r cyfeillion mwyaf triw a gafodd neb erioed. Amser cinio dydd Sul yn enwedig roedd y sgwrs a'r chwerthin yr un mor bwysig i mi â choginio arbennig Aluna.

Yr hen arferiad oedd i weinidog Wesle symud cylchdaith bob tair ac wedyn, ar ôl rhyfel 1939-45, bob pum mlynedd.

Bu newid aruthrol fel yr aeth y ganrif ymlaen a llai o weinidogion i'w symud, a bu i ni aros yn Llandudno am dros ddeng mlynedd ar hugain. O'r rheini roedd tair blynedd (1981-4) i ofalu am gylch Penmaen-mawr, Llanfairfechan, Bethesda, Rachub a Rhiwlas ar Gylchdaith Arfon. Roedd dau weindog ar y gylchdaith honno wedi marw – George Brewer mewn damwain motor beic ac Alun Francis, yn ifanc, ar ôl gwaeledd garw. Llenwi'r bwlch yr oeddwn i tra'n dal i fyw yn Llandudno ac yn ffodus o gael yr annwyl Tudor Davies, un o brif emynwyr Cymru, fel Arolygwr ac yn byw ym Mangor. Symud yn ôl wedyn i Landudno fel Arolygwr Cylchdaith Dyffryn Conwy am ugain mlynedd. Ar hyd y blynyddoedd cefais gydweithio, heb unrhyw air croes o gwbl, efo'r Parch. Joe Haines Davies, Colwyn. Gweindog yn arbenigo yng ngwaith yr ysgol Sul oedd Joe ac mae gennym fel enwad a chenedl ddyled fawr iddo.

Digwyddodd llawer i ni yn ystod ein hamser yn Llandudno – y plant yn tyfu i fyny, a llu o brofedigaethau. Colli mam yn 1978, fy nhad yn 1981, fy mam yng nghyfraith yn 1994 ac Eirlys yn 1995.

Cefais fy ethol i Gyngor Aberconwy yn 1977 ac aros yn gynghorydd hyd 1988. Roeddwn yn ymgeisydd seneddol fel Rhyddfrydwr a Democrat Rhyddfrydol yn 1979, 1983, 1987, 1992 a 1997. Methais o 995 pleidlais yn 1992 ond cefais fy enwebu ac ymladd am Senedd Ewrop yn 1999 ond er cynyddu'r bleidlais nid oedd Brwsel i'm croesawu!

Wedi ymddeol yn 2001 derbyniais wahoddiad i fod yn weinidog dros dro ar Eglwys Gymraeg Toronto, Canada.

Fel y soniais eisoes, tra oddwn yno y cefais yr alwad ffôn annisgwyl honno oddi wrth Charles Kennedy, arweinydd y Democratiaid Rhyddfrydol. Galwad yn fy ngwadd i ymuno â Thŷ'r Arglwyddi. Cymerais fy sedd ar Fehefin 30, 2004. Ond mwy am hyn yn nes ymlaen.

Pennod 3

Hogyn o Gonwy

Aeth bron saith deg o flynyddoedd heibio ers i ni fel teulu symud o Dŷ Plant, Llanrwst i 12 Llewelyn Street, Conwy. Cof plentyn sydd gennyf am y symud ond mewn gwirionedd, er bod un yn y wlad a'r llall yng nghanol tref, yr un math o dai oedd y ddau. Dwy lofft, toiled yn y cefn, cegin a pharlwr. 7/6 yr wythnos oedd y rhent a chyflog fy nhad tua'r £5.

Ychydig iawn o le i chwarae oedd yng Nghonwy ac yn y stryd, ddi-geir y pryd hynny, roeddem ni'n treulio'n horiau hamdden a'n mamau yn eu ffedogau dwbl yn sgwrsio tra'n cadw llygad arnom ni.

Ers yn ifanc iawn sgidiau hoelion mawr oedd ar ein traed a'r criau wedi eu clymu'n ddwbl. 'Sanau i'r pen-glin a'r lastig oedd yn eu cadw i fyny yn brathu'n coesau. Trywsus melfaréd yn cyrraedd i'r glin ond, erbyn hyn, nid trywsus pen-glin fel oedd gan ein tadau pan oeddent yn blant.

Gwisgem gap ar ein pennau, pwlofer a hwnnw'n aml wedi ei drwsio ac ambell bwlofer wedi ei wau efo patrwm Fair Isle. Roedd y genod yn gwisgo'n ddelach na'r hogia!

Ar ben y stryd roedd Capel Carmel, Methodistiaid Calfinaidd, a hwnnw'n brysur iawn ar y Sul, ond Tabernacl,

Wesleaid, oedd ein capel ni. Fy nhad, fel arfer, oedd yn mynd â ni yno i wasanaeth yr hwyr a ninnau'n mynd, hefyd, i'r Ysgol Sul a phan oeddem yn hŷn i'r Cyfarfod Gweddi Ieuenctid am bump o'r gloch. Pnawn Sul roedd Mam yn cael gorffwys am ryw ddwyawr a ni'r plant ddim yno i'w phoeni. Pregethwyr amhoblogaidd iawn oedd y rhai a'n cadwai ar ôl ugain munud wedi saith oherwydd rhaid oedd rhuthro adre i wrando'r 'Carol Levis Show' ar y BBC!

I Mam, diwrnod golchi oedd dydd Llun, dydd Mawrth yn ddiwrnod sychu'r dillad a dydd Mercher yn ddiwrnod smwddio. Golchi yn yr hen dwb sinc, yr un twb ag a oedd o flaen tân y gegin i ni'r plant folchi ynddo, hongian y dillad yn yr iard gefn a phoethi'r haearn ar dân y gegin. Wn i ddim sut roedd Mam yn cadw'r tŷ'n lân efo'r sachau glo yn cael eu cario drwy'r tŷ i'r cwt glo yn yr iard. Hwyrach ei bod yn haws glanhau'r tŷ oherwydd mai un neu ddau o fatiau oedd ar y lloriau a'r gweddill yn linoliwm. Roeddem yn dotio ar fat clwt roedd Nain Capel Garmon wedi ei wneud pan oedd yn ifanc.

Er nad oedd teliffon nac, wrth gwrs, deledu na char gan neb yn Llewelyn Street roedd fan yn dod â llefrith bob bore a hwnnw mewn can mawr ac yn cael ei ladlo i'r jygiau. Dôi trol bysgod yn rheolaidd hefyd ond gan Mrs Smith a werthai bysgod yn y sgwâr oedd, meddan nhw, y pysgod mwyaf ffres a blasus. Mewn tŷ gyferbyn â chapel Carmel roedd gwraig yn gwerthu poteli o ddiod dail ac yn ei hymyl siop fferins mewn parlwr tŷ. Dyddiau i'w cofio oedd rheini pan ddôi trol a cheffyl y rheilffordd i'r stryd efo pecyn o faint i rywun. Ond y pecyn gorau i mi fyddai'r un ar fy mhen-blwydd a minnau'n eistedd ar step y drws i ddisgwyl gŵr y post â phresant gorau'r flwyddyn – bocs cacen briodas gan Nain efo darn dau swllt ynddo. Cyfoeth y pryd hynny.

Yn ysgol babanod 'Town Ditch' dysgais ddarllen a sgwennu o'r bwrdd du hen ffasiwn ac ar lechen oedd yn gwichian wrth i ni grafu'r geiriau arni. Roedd sgidiau lledr newydd yn gwichian hefyd a phawb yn y capel yn gwybod bod pâr newydd ar ein traed.

Yn ysgol Rosehill Street i blant rhwng saith ac un-ar-ddeg oed cefais fy newis yn 'fonitor', yn cael rhannu'r inc ar fore Llun a helpu efo casglu arian cinio, pedair ceiniog i'r plentyn cyntaf yn y teulu, tair ceiniog i'r ail a dwy geiniog i'r trydydd.

Ar y Nadolig cawn rodd o chwe cheiniog o'r Ysgol Sul ac wedyn rhedeg i'r siop i'w wario ar bresant o galendr i Mam. Pan fyddai'r Nadolig ar y Sul cynhelid Ysgol Sul hefyd ac mewn ambell ardal Dydd Nadolig oedd diwrnod y Cyfarfod Pregethu.

Yn ystod y rhyfel byddwn yn sefyll wrth y drws cefn yng Nghonwy a'r goleuadau o Lerpwl, y 'searchlights', yn chwarae yn y tywyllwch uwchben y ddinas. Newidiai'r goleuadau hynny i olau fflamau tân ar ôl y bomio. Chwalwyd miloedd o adeiladau a rhai o'm teulu fy hun o blith Cymry Lerpwl wedi dioddef. Roedd fy nhad yn perthyn i'r 'Home Guard' ac wedi dringo i fod yn Gorporal. Mr Hindle, y groser, oedd y Sarjiant ac yn galw heibio fy nhad gan ddweud, "If Hitler invades I'm to call you!" Roedd Cymru'n saff!

Pennod 4

Prentis Thomas Cook!

Un bore am chwarter wedi chwech wrth i mi ddarlledu rhaglen BBC 'Pause for Thought' dyma Sara Kennedy yn fy nghyflwyno fel y 'travelling vicar'. Gweinidog Wesle, ie – nid ficer! Ta waeth. Mae'n debyg fod 'travelling' yn wir, fwy felly yn y gorffennol na heddiw. Awgrymwyd un waith y dylid cynnal cystadleuaeth 'Spot the Rog'! Rwyf wedi mwynhau teithio ar hyd gwahanol ffyrdd ac mewn gwahanol ffyrdd ers rhai blynyddoedd bellach.

I bobl fy oed i roedd y trip Ysgol Sul yn ddigwyddiad i edrych ymlaen ato; yn wir, diwrnod mawr y flwyddyn. Roedd holl Ysgolion Sul ardal Conwy yn dewis yr un diwrnod, fel arfer y dydd Mercher cyntaf ym mis Gorffennaf. Tipyn o gur pen i ysgolion dyddiol a chwmnïau bysiau, ond dyna'r arferiad. Yng Nghonwy, roeddem yn disgwyl y bws wrth wal Town Ditch ac, yn aml, byddai'n tywallt y glaw. Chwilio'r awyr am fymryn o las ac weithiau'n lwcus. Y gred oedd os gallem weld rhwng y cymylau ddigon o las i wneud trywsus llongwr byddai'r haul yn torri drwodd. Arwydd na fyddai'r glaw yn parhau trwy'r dydd.

New Brighton, Y Rhyl ac unwaith Blackpool a chroesi'r 'Denbigh Moors' yn y glaw. Pwy feddyliodd am fynd â llond bws o blant – yn y glaw – dros Fynydd Hiraethog neu rownd Sir Fôn? Nid yng Nghonwy yn unig yr oedd yr awydd gan rai i fynd 'rownd Sir Fôn' ond, hefyd, pan benodwyd fi yn weinidog ym Mhen Llŷn. Ni allaf anghofio Love Pritchard yng nghapel Horeb, Uwchmynydd. Roedd Love yn un o deulu brenhinoedd Enlli. Yn ôl yr hanes, dewisid un o drigolion Ynys Enlli i gadw trefn ar yr ynys a'i phobl a gelwid ef yn 'Frenin Enlli'. Brenin a choron ganddo hefyd. Bu'r goron ar un amser i'w gweld ym Moduan, Llŷn, ond bellach fe'i cedwir yn yr Amgueddfa Forwrol, Lerpwl. Yn bwysicach na bod yn Frenin roedd Love yn flaenor yn Horeb, Uwchmynydd. Roeddwn innau'n Gaplan i Frenin! Rhyfedd nodi mai Roger Roberts oedd enw caplan y teulu brenhinol go iawn. Na, nid y fi oedd hwnnw, ond cofiaf sefyll y tu allan i'r Savoy Chapel ar y Strand yn Llundain. Hwn oedd y Capel Brenhinol ac enw'r caplan, Roger Roberts, ar fwrdd oddi allan. Sefais yno rhag ofn, neu gan obeithio, i rywun o Gymru ddigwydd cerdded heibio a thybio i mi gael dyrchafiad!

Pan ddôi'r adeg o'r flwyddyn yng nghapel Horeb i benderfynu i ble roedd y trip i fynd, dewis cyntaf Love bob amser oedd 'rownd Sir Fôn'. Gŵr o Ynys Enlli yn teimlo apêl ynys arall. Ni chafodd neb enw mwy addas na 'Love'. Fo oedd un o'r cymeriadau anwylaf i mi eu cyfarfod erioed. Byddai'n dod efo fi i fedyddio babanod yn eu cartrefi. Love, fel un o'r blaenoriaid, oedd yn cynrychioli'r eglwys. Fel arfer ceid te bedydd wedyn ac roedd Love yn mwynhau'r jeli a'r blwmonj cymaint â mi!

Cofiaf Rhys T. Davies, cyn-brifathro ysgol Ramadeg

Treffynnon, yn pregethu yn Uwchmynydd a Love yn y sêt fawr. Rhys T. Davies yn gwybod dim am Love a dim syniad beth oedd ei enw ac yn edrych, yn ystod y bregeth i fyw llygaid Love a gofyn, "Ydach chi yn credu mewn love at first sight?" Miri mawr a Love yn gwrido at ei glustiau.

Dymuniad rhai oedd teithio o gwmpas Ynys Môn ond roedd Y Rhyl yn apelio mwy. Y man mwyaf poblogaidd oedd y Marine Lake ac yno fe gaem fynd ar gefn mul – nid 'rownd Sir Fôn' ond 'Round the world trip!' Ac, os yn bosibl, lle bynnag fyddai'r prif gyrchfan ar ein taith, rhaid oedd gorffen yn Y Rhyl. Y Rhyl oedd Mecca. Mae'r dref wedi newid yn fawr ers hynny a'r Marine Lake wedi diflannu. Yn y cyfnod hwnnw, am ryw reswn neu'i gilydd, roedd mwy o weinidogion yn ymddeol i'r Rhyl nag i unrhyw ardal arall. Beth oedd yr atyniad? Yn sicr nid oedd y Dr Tecwyn Evans am fynd ar gefn mul yn y Marine Lake!

Ar y ffordd adref, ni waeth ble byddem wedi bod, rhaid oedd galw heibio i siop tships, ac os yn dychwelyd trwy'r Felinheli byddai tua deugain ohonom yn prynu yn y siop tships yno. Honno oedd y ffefryn! Druan o'r perchennog pan alwai cymaint o dyrfa ddirybudd. Cofiwch hefyd, nad y ni oedd yr unig fws ar y Mercher cyntaf yng Ngorffennaf.

Pan oeddwn yn weinidog ifanc roedd gofyn i mi gynorthwyo efo trefnu tripiau Ysgol Sul. Well i mi beidio ag enwi'r capel ond un flwyddyn pan ddaeth hi'n amser trefnu'r trip dyma'r Arolygwr yn arwain y trafod, a neb yn cynnig dim. Bu rhaid iddo fo o'r diwedd dweud, "Rwy'n cynnig ein bod yn cael trip eleni." Dim llais yn eilio a dyna ddiwedd y trafod y Sul hwnnw. Y Sul nesaf dyma'r

Arolygwr yn llefaru eto, "Wel, y Sul diwethaf cynigwyd ein bod yn cael trip Ysgol Sul ac mae'n bleser gen i eilio'r cynnig!" Dau beth oedd yn rhwygo aelodau'r capel hwnnw – nid diwinyddiaeth, nid dewis gweinidogion na phregethwyr – ond y trip blynyddol a'r te parti Nadolig!

I Wesleaid ifanc – ac roedd rhai y pryd hynny – diwrnod arall i'w gofio oedd 'pererindod y dalaith'. Dwsin o fysiau o bob rhan o'r gogledd yn cyrchu i fan o bwys hanesyddol neu grefyddol – Pantycelyn i dalu teyrnged i William Williams, Dolwar Fach er mwyn cofio Ann Griffiths, Y Bala ac amryw o leoedd eraill. Darlithoedd, Cymanfa, llond bwrdd o de, cyfarfod â ffrindiau newydd a dwi'n dyst bod un garwriaeth a arweinodd at briodas wedi digwydd oherwydd pererindod y dalaith. Erbyn heddiw dyna drip arall sy'n perthyn i'r gorffennol.

Yn 1970 cyrraedd yn ôl i'r hen ardal – yn un o bum gweinidog ar Gylchdaith Dyffryn Conwy. Raymond Hughes ym Mhenmachno, Maurice Jones yn Llanrwst, Meilir Pennant Lewis yng Nghonwy, Jo Haines Davies yng Ngholwyn a minnau yn Llandudno. Yr oedd angen mwy o arian i gynnal gwaith y Gylchdaith. Cynhaliwyd pwyllgor yng nghapel Ty'n Celyn, Llansanffraid. Sut allwn ni godi swm sylweddol? Noson o ddramâu? Cyngerdd Mawreddog? Onid oedd doniau fel Richie Thomas ar y gylchdaith a Mary Jones, Llanfairfechan ar y ffin? Neu ffair gylchdeithiol?

Ond arian MAWR oedd angen y Gylchdaith. Cynigiais "Beth am drefnu trên i Lundain?" "Roger, wyt ti o ddifrif?" Penderfynu mentro a dyna sut y trefnwyd yr 'Epworth

27

Express'! Rydwi'n cofio'n dda y pwyllgorau llawn brwd-frydedd a'r enwau'n llifo i mewn. Eisiau trên fwy – a mwy – a mwy. Ifor Williams, Degannwy, oedd yn gweithio i gwmni'r rheilffordd ac yn golofn yn ei gapel ei hun yn cael benthyg stoc o bob rhan o Brydain. Y trên hiraf a welwyd ar stesion Llandudno ers blynyddoedd! Roedd cynrychiolwyr y capeli'n dod â'u rhestr o enwau i'r pwyllgor wythnosol. Dyna gyffro! Well i mi beidio ag enwi pawb o'r pwyllgor neu byddaf yn siŵr o adael rhywun allan ond ni allaf anghofio brwdfrydedd rhai fel Hefin Jones, Mrs Tomos Evans a David Davies Yn y diwedd, 650 o enwau a phob un yn talu £3 am daith drên i Lundain. Roedd y pwyllgor 'bach' yn stesion Llandudno ymhell cyn toriad gwawr. Cyfrifoldeb oedd sicrhau i bob capel gael y nifer seddau oedd eu hangen – nid hawdd gofalu am 650 o deithwyr! Ond roedd ysbryd rhagorol, ysbryd mentrus, oherwydd i lawer ohonynt hwn oedd eu hymweliad cyntaf â Llundain. Y syndod oedd nad oedd amryw o'r swyddogion mwyaf profiadol a galluog erioed wedi bod yn Llundain. A dechrau'r Saithdegau oedd hyn.

Trefnwyd siop ar y trên yn y 'Guard's Van' yn gwerthu crisps a diodydd ysgafn a dwi'n gweld Morris, Mair, Glenys a John yn ofalwyr arbennig – a hyd yn oed y siop yn gwneud mymryn o elw i'r Gylchdaith.

Wedi cyrraedd y brifddinas roeddwn wedi trefnu efo Evan Evans Coaches – enw da a minnau'n credu mai cwmni Cymreig oedden nhw o hyd! Naw bws yn cyfarfod y trên yn Euston a mynd â ni'n gyntaf i ginio yn y Central Hall, Westminster, pencadlys yr Eglwys Fethodistaidd.

Enw'r cwmni oedd yn paratoi'r bwyd, heb air o gelwydd, oedd y Moo Cow Catering Company! Wedyn i'r bysiau ac i ffwrdd â ni i ymweld â Llundain. Cyrraedd yn ôl i Euston tua chwech o'r gloch wedi gweld llawer ac nid y fi oedd yr unig un i gysgu'r rhan fwyaf o'r ffordd adref. Pwy ar y daith honno, dros ddeng mlynedd ar hugain yn ôl, fedr anghofio'r diwrnod? Codwyd tua £1000 i gronfa'r Gylchdaith.

Yn y blynyddoedd dilynol aeth trenau â ni – a chodi arian i'r Gylchdaith – i Fryste, Caeredin, Caerdydd, Norwich, Sheffield a dinas Caerefrog. Rydwi'n cofio i un wraig fynd ar goll yn ninas Wells a gorfod cael yr heddlu i chwilio ym mhob cwr o'r ddinas amdani. "It's no good," meddai Arolygwr yr Heddlu. "She seems to have disappeared off the face of the earth." Roedd y trên wedi gorfod troi am adre cyn i Beti gerdded yn gysglyd allan o doiled merched yn yr Eglwys Gadeiriol. Yn y fan honno, yn cysgu'n braf, y treuliodd hi ddiwrnod y trip! Pan gyrhaeddodd Beti stesion Llandudno y bore Llun roeddwn i yno â'm breichiau yn llydan agored, ddim yn siŵr a oeddwn am ei chofleidio ynteu ei thagu!

Nid pawb a sylweddolai faint o ymdrech a olygai trefnu'r gwibdeithiau hyn. Tybiwn mai da fyddai cael pibydd, 'Scottish Piper', i'n cyfarch yng ngorsaf Waverley, Caeredin. Holi yma, holi draw ac, o'r diwedd, sicrhau gwasanaeth pibydd – am ddeg punt. Wrth ddisgyn o'r trên dau neu dri yn dweud, "'Doedd yn lwcus bod pibydd ar y stesion!"

Credaf i ni wneud digon o elw i gadw'r pumed

29

gweinidog ar y gylchdaith. Cofiwch mai cyflog digon bychan oedd i'w gael bryd hynny. Yn y diwedd, aeth y gost o logi'r trên yn ormod ond tra parodd bu'n ymdrech lwyddiannus dros ben. Nid yn unig yn ariannol ond hefyd fel cyfle rhagorol i aelodau'r capeli a'u cyfeillion ddod i adnabod ei gilydd.

Pennod 5

Y byd yw fy mhlwyf!

Trefnu adref, trefnu draw. Hyd 1978 ni fûm erioed yn hedfan ond, y flwyddyn honno, dyma gyfaill a'i briod a oedd yn weithgar yn y capel yn Llandudno, yn cynnig rhodd i mi i deithio draw i wlad Israel. Cynnig na allwn ei wrthod ond ni ragwelodd y cyfaill beth fyddai canlyniad ei garedigrwydd.

Ym mis Mawrth 1978, hedfan o Heathrow i Tel Aviv. Yn Heathrow, cyfarfod â theithwyr eraill, ac un yn gofyn a oeddwn yn gwybod fod Flora Robson, un o actorion mwyaf rhagorol y cyfnod, yn cyd-deithio â ni. Mentrais gael sgwrs â hi ar yr awyren. Dechrau da i'm pererindod. Wedi cyrraedd Israel, rhannu Sheroot – tacsi nid sigâr – efo Miriam Ben Shalom, un o benaethiaid twristiaeth Jerwsalem. Efo'i chymorth hi, trefnwyd nifer o deithiau wedyn. Wythnos arbennig i mi oedd yr wythnos gyntaf honno. Lleoedd y Beibl yn dod yn real a byw. Mannau hanes y genedl Iddewig a'r Israel fodern a ffurfiwyd yn 1948 yn dod yn fwy nag enwau ar bapur. Rhyfedd sawl pentref yng Nghymru a enwyd ar ôl lleoedd y Beibl – eu henwi mae'n debyg ar ôl un o gapeli'r pentref – Bethesda, Nasareth, Bethlehem, Siloam, Nebo, Bethel a Cesarea. Y capel ddaeth yn gyntaf ac enw'r pentref wedyn. Hyd yma, ni welais gapel o'r enw Jericho – ofni i'r waliau ddymchwel hwyrach!

Roedd Israel y pryd hynny yn llawer tawelach nag ydyw heddiw ac ar y trip cyntaf hwnnw cefais, am yr unig dro, ymweld â Hebron. Roedd yn rhy beryglus ar ôl hynny oherwydd iddo fod yn gadarnle Palestina. Es o gwmpas a phrofi hud safle'r Deml, wedi ei chodi ar Fynydd Moreia lle rhwystrwyd Abraham rhag aberthu ei fab Isaac. Heddiw, mae'n addoldy euraidd y Moslemiaid. Oddi tano mae Wal y Wylofain, sy'n rhan o'r Deml wreiddiol ac yn enwog fel y fan roedd yr Iddewon ar wasgar yn hiraethu amdano – 'Y flwyddyn nesaf yn Jerwsalem'.

Mae'r Bedd Sanctaidd yn eglwys yr 'Holy Sepulchre' ac yno hefyd cewch ddringo Bryn Calfaria i'r fan lle codwyd Croes yr Iesu; mae'n lle hynod gysygredig a pha amser bynnag rydych yno bydd rhai yn gweddïo neu'n uno mewn emyn fel y gwnaethom ni'r Cymry – 'I Galfaria trof fy wyneb, ar Galfaria, gwyn fy myd.'

Roedd ugeiniau o siopau yn yr hen ddinas ac un yn gwerthu clychau efo'r enw Jerwsalem wedi'i argraffu arno. Gan fod Eirlys, fy mhriod, yn casglu clychau rhaid oedd mynd i mewn i brynu un o'r rhain. A dyma berchennog y siop yn dod â hambwrdd efo cadwyn arian a chroes Jerwsalem arni. "Now buy the real gift for your wife," meddai, "and you are lucky because this is the last one left in Jerusalem." Prynais y gadwyn a'r groes. Wedi cyrraedd adref, y nos Sul ddilynol, cerddais o gwmpas y gynulleidfa – noson cyngerdd yn Llandudno – a gweld bod gan Mrs

Dorothy Taylor yr union un gadwyn a chroes ag a brynais i yn Jerwsalem. "I like your cross and chain, Mrs Taylor" meddwn i. A hithau'n ateb, "I bought it in Jerusalem, and I was so lucky it was the last one in Jerusalem!"

Teithio i Fethlehem a mynd i'r llecyn lle deil traddodiad mai yno y ganwyd yr Iesu. Hon yw'r eglwys Gristnogol hynaf yn y byd. Pan oeddwn ar y daith efo Côr Maelgwn cawsom gyflwyno cerfluniau o gymeriadau'r geni i Faer Bethlehem, ffigyrau wedi eu naddu o lechen Llechwedd, Blaenau Ffestiniog. Dyna'r rhodd drymaf i mi ei chario erioed!

Yn Eglwys y Pater Noster yn Jerwsalem ac Eglwys y Cyhoeddi yn Nasareth gwelais Weddi'r Arglwydd a hanes cyhoeddi Geni'r Iesu ar furiau'r eglwysi yn yr iaith Gymraeg. Mae'n dyled yn fawr i T. Elwyn Griffiths a'r Urdd am gasglu'r arian a threfnu'r cwbl ar ddiwedd yr Ail Ryfel Byd.

O'r lleoedd modern, doedd yr un fan i'w gymharu ag Yad Vashem, man cofio'r chwe miliwn o Iddewon a laddwyd yn yr Holocost. Ac er i mi anghytuno llawer â pholisi llywodraeth Israel yn y blynyddoedd diweddar ni allaf fyth anghofio'r drygioni satanaidd hwnnw. Rydwi'n herio unrhyw un i beidio â wylo wrth droi i mewn yno ac wedyn wrth ymweld â Chofeb y Plant. Mae hwn wedi ei naddu o'r ddaear a miliwn a chwarter o ganhwyllau yn ei oleuo, un ar gyfer pob plentyn a laddwyd gan Hitler. Wrth gerdded y llwybr yno clywed llefaru enwau'r plant 'Hannah ben Aba, tair oed, Warsaw', 'Daniel Yohanan, four and a half years old, Terezin' ac ymlaen ac ymlaen. Mae'n calonnau'n hollti wrth weld o hyd pa mor greulon y gallwn ni fod tuag at blant.

Gyferbyn â mynedfa Yad Vashem mae Amgueddfa Theodore Hertzl ac wrth fynd o gwmpas pwy welais i yno – mewn llun os nad yn y cnawd ond David Lloyd George. Ei lygaid yn twincian o ddarlun a llythyr yno gan ei gwmni o gyfreithwyr, 'Lloyd George, Roberts and Co.,' at Theodor Hetzl ynglŷn â gwlad a fyddai'n gartref parhaol i'r genedl Iddewig. Yr awgrymiad yn 1902 oedd British East Africa – Uganda heddiw. Ond nid oedd yr awgrymiad yn dderbyniol. Beth fyddai hanes y Dwyrain Canol (ac Affrica) petai'r awgrymiad wedi dod yn ffaith?

Yn ôl i Gymru a mynd o gwmpas yn siarad am Israel – gydag awdurdod wythnos o ymweliad! Eraill â diddordeb a'r flwyddyn ganlynol bron i gant o bobl ar daith yno. Wedyn criw i wlad Groeg, yr Eidal, Iwgoslafia, Ffrainc.

Ni allaf anghofio'r cyflwyniad i'r Pab John Paul yn Rhufain. Roedd hyn bythefnos cyn yr ymosodiad, angheuol bron arno. Sefyll yn y sgwâr tu allan i'r Fatican – hanner cant o Gymry – y Pab yn cerdded tuag atom. Cyfarchodd Eric ac Ethel o Gonwy, ysgwyd llaw efo Eirlys, fy mhriod, ac edrych arna i – "From Holland?" meddai'r Pab, "No," meddai Roger, "from Wales". "God Bless you all in Wales," meddai fo. "God bless you too," meddwn innau. Ai fi yw'r unig weinidog Wesle i fendithio'r Pab?

Cawsom lawer o hwyl ar y teithiau yma, ond, mae'n debyg mai brenin y teithiau i gyd oedd efo Côr Maelgwn i Israel. Ar un ymweliad â Jerwsalem, gelwais heibio i swyddfa dwristiaeth Miriam ben Shalom a hithau'n gofyn a allwn drefnu i gôr meibion o Gymru gynnal cyngherddau yn Israel. Wedi cyrraedd adref mynd i gyfarfod â Chôr Maelgwn a chael eu cefnogaeth barod. Mary Lloyd Davies a Tom Evans, Gwanas oedd i fod yn unawdwyr a'r diweddar annwyl Davy Jones i arwain. Dau gant a deuddeg yn y parti yn hedfan o Fanceinion i Tel Aviv. Cawsom groeso anghyffredin o gynnes ac rwy'n cofio'n arbennig y cyngerdd yn Kibbutz Ramat Dafid oedd heb fod ymhell o Nasareth.

Ramat Dafid? A finnau'n holi'r Israeliaid pa Dafid neu Ddafydd oedd hwnnw. David Ben Gurion, Prif Weinidog cyntaf Israel? (pam roedd Mrs Thomas Evans yn mynnu ei alw yn Ben Gwirion?) Na. Beth am y brenin Dafydd? Na eto. Wedi ei enwi ar ôl David Lloyd George – y Cymro a roddodd ei gefnogaeth i'r Kibbutz yn y Dau Ddegau. Mae'n debyg mai dyma'r unig Kibbutz a enwyd ar ôl Cymro!

Credaf i aelodau'r côr fwynhau'n fawr y daith fythgofiadwy honno. Trefnu wedyn ymweliad i'r côr â gwlad Groeg a honno'n daith eithaf hwylus ond dim i'w chymharu â'r daith i Israel.

Bu fy nhad a'm brawd yng nghyfraith yn aelodau o'r côr a ffurfiwyd yn 1970. Nhw oedd y côr cyntaf i ganu yn y 'Sunday Night at Eight' a sefydlwyd yn Ebeneser, Llandudno ym Medi 1971. Fy ngwraig, Eirlys, oedd yr unawdydd y noson honno. Cynhaliwyd rhyw ddeunaw o gyngherddau bob haf am chwarter canrif. John Williams, Bermo gynt, a Clwyd Williams, yn enedigol o Flaenau Ffestiniog, oedd y trefnwyr am y rhan fwyaf o'r amser. Mae Clwyd a Liz wedi bod yn gefn personol i mi ac i holl ymdrechion Ebeneser, Llandudno. Heb yr elw o'r nos-weithiau hyn – yn agos i 500 o gyngherddau – byddai sefyllfa ariannol y capel wedi bod yn eithriadol o anodd. Pan fu farw Clwyd yn nechrau 2007 collais un o gymwynaswyr mwyaf fy mywyd.

Ie, yr ymweliad hwnnw ag Israel oedd y daith dramor fwyaf a drefnais. Cofio digwyddiadau eraill – dawnsio yn y glaw efo'r criw ym Mharis. Y daith ofnadwy wrth groesi o ynys Paros i ynys Hydra, yng Ngwlad Groeg a Gwenallt yn llygad ei le – 'y capten a'r criw yn feddw'. Hynod oedd gwrando'r cerddorfeydd yn sgwâr St Marco yn Fenis ac wedyn bwyta mynydd o hufen iâ! Melys atgofion ac ychydig iawn o broblemau.

Cefais deithiau personol hefyd, rhai i bregethu a darlithio, cyn belled â San Fransisco. Yno bu i Bernie a Linda Votteri drefnu i mi annerch tri neu bedwar o gyfarfodydd o Gymry Califfornia. Merch o Aberystwyth oedd Linda a'i mam yn aelod yng nghapel Bethel, Degannwy. Diddorol oedd cael cyfarfod â rhai o gefndir Cymreig oedd wedi dringo mor uchel ym mywyd yr Unol Daleithiau – un yn bennaeth yr Awyrlu, un arall yn gyfrifol am hyfforddi morwyr, arall yn fancar o fri, ac eraill tebyg.

Yn Efrog Newydd cefais bregethu yn yr Eglwys Gymraeg sydd yn addoli yn Ruttgers ar Broadway. Yn Seland Newydd aros efo teuloedd a chysylltiad agos â Chymru ac yn Awstralia cynnal yr oedfa Gymraeg yn Nghapel la Trobe Street, yr unig amser i mi bregethu o dan ddraig goch oedd yn chwifio uwch fy mhen yn y pulpud. Ymweld â ffrindiau a theulu a groesodd y moroedd lawer blwyddyn yn ôl. Yn aml yn gweld yr arferion Cymreig yn fwy byw dramor nag yng Nghymru – dipyn o Benmachno yn Melbourne, Cymanfa Ganu yn Wellington, corau Cymreig yn Toronto, cymdeithasau Cymraeg ledled y byd ac ym mhob man 'Welsh Cakes'!

Yn 2008 cefais yr anrhydedd o'm dewis yn Llywydd Undeb Cymru a'r Byd. Cofiaf yn dda'r daith yn 2009 drwy'r Rockies yn Canada. Y man cychwyn oedd Calgary ac wedi dod o hyd i'm sedd ar y trên yn cael fy nghroesawu gan eneth a gyflwynodd ei hun: "I'm Jennifer Roberts, your train manager". O ble mae'r Roberts yn dwad? oedd fy nghwestiwn i. "O Lanrwst," oedd yr ateb! Roger yn holi wedyn ac er nad oeddwn yr un Roberts roeddwn yn adnabod ei modryb Catherine a'r teulu yn dda iawn. Catherine yw trysorydd Horeb, Llanrwst.

Cyrraedd Kamloops a minnau'n cerdded i lawr y brif stryd yn chwilio am fy mhaned. Dim ond dau arall oedd ar y stryd ac maen nhw'n fy nghyfarch yn Gymraeg, "Wel, Mr Roger Roberts, be ydach chi'n ei wneud yma?" Cwpwl o Dywyn, Meirionnydd! Rhyfeddod eto yn Vancouver oedd mynd i'r Cambrian Hall a gwraig ifanc wrthi'n paratoi'r swper yn fy nghyfarch, "Chi oedd fy ngweinidog i yng Nghapel Bron-y-nant."

Hwyrach nad y tywysog Madog a deithiodd gyntaf dros yr Iwerydd a darganfod cyfandir America ond mae ugeiniau o filoedd o'n cydwladwyr wedi gwneud y daith honno dros y canrifoedd.

Pennod 6

John Price a Lord Soper

Mae dau gapel Tabernacl yn hanes y teulu, Tabernacl yr Annibynwyr yn Llanrwst a Thabernacl y Methodistiaid Wesleaidd yng Nghonwy. Annibynwyr oedd teulu Mam ond Wesleaid oedd ochr fy nhad. Wedi symud i Gonwy ymaelododd y teulu yng Nghapel Tabernacl y Wesleaid.

Yn 1945 daeth y Parch. John Price yn weinidog arnom ac rwy'n cofio'r diwrnod iddo alw heibio'n tŷ ni ac, er nad oeddwn yn bymtheg oed, yn awgrymu i'm rhieni ei fod yn gweld dyfodol i mi fel pregethwr ac, yn wir, fel gweinidog. Gwyddwn fod Mam yn meddwl mai'r Banc fyddai'r lle gorau i mi. Roedd un o'i chariadon cyntaf wedi bod yn gweithio mewn banc yn Llanrwst! Ond chwalwyd breuddwyd Mam a chafodd miloedd o gwsmeriaid eu diogelu rhag unrhyw gam!

I gyfeiriad y weinidogaeth yr euthum ac i John Price mae'r diolch am hynny. Cymryd rhan mewn Cyfarfod Gweddi, mentro fy marn mewn dosbarth Beiblaidd a dod yn arolygwr yr Ysgol Sul ac yn ffyddlon i'r 'Band of Hope'.

Daeth y Parch. T. G. Ellis i Gonwy i olynu Mr Price. Roedd Cymdeithas Lenyddol y capel ar wedd wahanol efo Osian Ellis, ei fab a'r telynor enwog a'i fam yn arwain. Pum mlynedd oedd tymor arferol Gweinidog Wesle y pryd hynny ond torrodd iechyd y Parch. T. G. Ellis ac roedd yn rhaid iddo ymddeol ar ôl pedair blynedd. Ond fel llawer un sydd wedi ymddeol yn gymharol gynnar bu fyw ymhell dros ei bedwar ugain. O Aberdaron y dôi Mr Ellis ac ymhen rhai blynyddoedd pan oeddwn yn weinidog ifanc yn y pentref deuthum i'w adnabod yn dda. Roeddwn yn dotio at ei arddull, y pregethwr mwyaf addfwyn a melys ei gyflwyniad a glywais erioed. Oherwydd ei ymddeoliad llanwyd y bwlch am flwyddyn gan y Parch. Cledwyn Parry a phan oedd ef yng Nghonwy y mentrais i geisio pregethu am y tro cyntaf. Treial i'r bregeth bore Sul o Chwefror 1955 yn ysgoldy'r Tabernacl, pnawn Sul yng Nghapel Ty'n y Celyn, Glan Conwy. Y testun oedd Sacceus yn 'dringo, disgyn a derbyn'. Oedfa o ryw ddeugain munud – rhaid bod Sacceus wedi disgyn ar fwy o frys nag erioed o'r blaen! Treuliais ryw ddwy flynedd fel Pregethwr Cynorthwyol, yn gyntaf 'ar brawf', ac wedyn yn gyflawn. Rwy'n cofio'n dda y drefn o fynd o gwmpas Cylchdaith Conwy i gymryd y rhan arweiniol o'r oedfa ac un o'r gweinidogion yn pregethu. Anrhydedd oedd cael eu hadnabod – John Lloyd Hughes, Charles Jones, R. G. Hughes, D. R. Evans, John Alun Roberts a Henriw Mason yw'r rhai a gofiaf orau. Ar yr un pryd roeddwn yn fyfyriwr ym Mangor ond heb fod yn rhy sicr o'm dyfodol. Roedd y syniad o Swyddog Prawf yn apelio. Ond nid i'r Banc!

Ym Mangor euthum i wrando ar y Parch. Ddr Donald Soper, gweinidog y Kingsway Hall yn Llundain (Lord Soper wedyn) yn traddodi Pregeth Flynyddol y Coleg.

Roeddem ni'r myfyrwyr yn rhwydd lenwi galeri Capel Tŵr Gwyn ac yn cael y fraint o wrando ar Dr Soper a'i bregethu cyfoes. Roedd yn Sosialydd ac yn heddychwr cadarn.

Dyna adeg ymosodiad Rwsia ar Hwngari ac argyfwng Suez. Testun Dr Soper oedd o brofwydoliaeth Eseia 'pwy a anfonaf a phwy a â trosom ni?' Galw arnom ni i fod yn ddisgyblion ac i adeiladu teyrnas Dduw ar y ddaear a chreu byd teilwng i'n plant – 'a world fit for children to live in'. Atebais innau "Wele fi, anfon fi," gan ymateb i'r alwad ac anelu am y weinidogaeth.

Roedd Dr Soper yn un o'r cewri a weinidogaethai yn Llundain y pryd hynny. Yn y Westminster Central Hall roedd Dr W. E. Sangster, yn y City Temple Dr Leslie Weatherhead ac yn Westminster Chapel y Dr Martin Lloyd Jones. Clywais y pedwar a phetawn ychydig yn hŷn byddai wedi bod yn werth mynd i Lundain petai dim ond i gael gwrando ar y cewri hyn.

Dan arweiniad y Parch. D. R. Evans a oedd yn Arolygwr Cylchdaith Conwy sefais arholiadau Pregethwyr Cynorthwyol ac Ymgeiswyr am y Weinidogaeth. Ar yr un pryd yn graddio ym Mangor gan ddisgwyl cael mynd i Goleg Diwinyddol. Roedd chwech o'r rheini gan yr Eglwys Fethodistaidd y pryd hynny a rhyw gant a hanner o ymgeiswyr, dynion ifanc bob un, yn cael eu derbyn bob blwyddyn. A chofiwn mai dim ond hanner can mlynedd yn ôl yw hyn.

Mynd i weithio wnes i dros wyliau'r haf i'r Co-op yn y Junction –roeddwn yn reit hapus yn torri bacwn a phwyso menyn a chaws. Roedd hi'n anodd cael gweinidog ar gyfer pob capel Wesle yng Nghymru a daeth llythyr oddi wrth Gadeirydd y Dalaith, y Parch. Griffith Thomas Roberts (Botwnnog yn enedigol) yn dweud fy mod yn cael fy anfon fel gweinidog ifanc i Aberdaron ar Gylchdaith Pwllheli.

Mynd ar y bws o'r Junction i Gaernarfon; cario dau ges – fy nghyfoeth i gyd. Bws arall o Gaernarfon i Bwllheli ac, anodd credu, bws deulawr o Bwllheli i Ben Llŷn. Syllai pobl arnaf, dyn dieithr ac yn gwisgo coler gron. Clywed sibrwd, "Pwy ydio?" "Gweinidog Wesle newydd." "Tydio'n edrych yn ifanc!" A minnau'n un ar hugain oed!

Cartrefu efo Mrs Jones, Bryn Môr a chael am ddwy bunt yr wythnos ofal hael iawn. Brecwast llawn, cinio llawn a swper. Dim rhyfedd i'r llanc tenau ddechrau ennill pwysau! Yr unig beth roedd yn rhaid i mi ei wneud trosof fy hun oedd golchi fy nillad ac ar nos Sadwrn pan oeddwn yn mynd dros fy mhregeth roedd y dillad yn berwi'n hapus mewn boiler yn y tŷ golchi.

"Cofia beidio â golchi'r dillad gwynion efo'r dillad lliw." Ddywedodd neb nad oedd yn rhaid berwi popeth! Ond y drychineb fwyaf oedd i mi adael hosan farŵn yn llawes crys gwyn. Aeth pob dilledyn gwyn yn binc a dyna fu'n rhaid i mi ei wisgo. "Sut wyt ti, Roger?" Gallwn innau ateb, flynyddoedd cyn i ddillad isaf lliwgar ddod yn ffasiwn, "In the pink."

Y Sul cyntaf, roeddwn yn pregethu yng nghapel Tyddyn y bore, a'r Rhiw yn y pnawn a'r hwyr. Cefais fy nghludo ar gefn ei dractor i ginio efo Richard Jones, Bryn Meurig a chael te wedyn ym Meillionnydd Mawr, Y Rhiw. Fy ngwaith oedd gweinidogaethu ar Salem, Aberdaron,

Horeb, Uwchmynydd, Pisgah, Y Rhiw, a'r Tyddyn. Dim ond Y Rhiw sy'n aros heddiw.

Fel y soniais eisoes, yn Horeb, Uwchmynydd Love Pritchard o deulu brenhinoedd Enlli oedd un o'r blaenoriaid. Rwy'n ei gofio fel dyn tal efo mwstash blêr gwyn, trywsus melfaréd a chôt nefi blw. Ar drip ysgol Sul byddwn yn cerdded y stryd efo Love a phobl yn troi i edrych arnom, y fo'n dal a minnau'n llawer llai, fel Little and Large ar strydoedd Y Rhyl a Llandudno! Huw Parry Jones, Tŷ Fry oedd ei gyd-flaenor. Roedd Huw yn canu penillion i gyfeiliant telyn Morfudd ei ferch a Love fel cawr o dyddynnwr a physgotwr yn adrodd dipyn o hanes yr ynys a'r symud yn y Dau Ddegau o Enlli i'r Tir Mawr. Dyna gymeriadau na welwn mo'u tebyg eto.

Mary Ann Hughes, Tŷ Canol, merch arbennig o ddawnus, oedd un o ffyddloniaid capel Y Rhiw, William Jones, y gof, Gladstone House yn flaenor yn Salem, Aberdaron a Jinnie Roberts, Congl y meinciau, Botwnnog yn cadw drws capel y Tyddyn yn agored. Pan fu farw Jinnie, a fagwyd yn y Tŷ Capel, daeth oes y Tyddyn i ben. Pobl a adawodd argraff ddofn arnaf.

Gobeithio nad wyf yn brifo neb wrth ddweud bod blynyddoedd Aberdaron nid yn unig yn unigryw ond megis cipolwg ar y math o fywyd oedd yn perthyn i'r gorffennol yng ngweddill Cymru. Pan oedd ieuenctid gweddill y wlad yn gwirioni ar roc a rôl roedd llawer o ieuenctid Llŷn yn dal i ddysgu cynganeddu a dawnsio gwerin.

Ymwelais y bore Llun cyntaf â Miss Mary Ann Hughes,

Tŷ Canol a chael benthyg ei beic i deithio ymhellach. Roedd popeth yn dda ond dim sêt ar y beic! Roedd hwnnw'n beryg bywyd! Ymlaen am goffi efo Mrs Griffith, Tŷ Cerrig ac wedyn dau ginio. Mr a Mrs Williams, Meillionnydd Bach yn fy llenwi gyntaf ac wedyn at deulu Mr a Mrs Richard Thomas ym Meillionnydd Mawr. "Wel, Mr Roberts, lwcus i chi alw rŵan jyst mewn pryd i ginio!" a minnau'n rhy boléit i gyfaddef i mi fwyta'n barod. Byddai'n rheitiach i mi fod wedi cael tractor yn hytrach na beic Mary Ann i fynd yn ôl i Aberdaron.

Euthum i Goleg Handsworth am ddwy flynedd (1958-1960) ac wedyn yn ôl i Aberdaron. Yna fe briodais.

Daeth amser symud o Aberdaron ac ar ôl dipyn o ansicrwydd sefydlwyd ni yn Rhyd-y-foel ger Abergele. Fy nghyfaill y Parch. D. R. Evans oedd yr Arolygwr. Eglwys gref oedd Salem, Rhyd-y-foel, un o'r rhai cryfaf gan y Wesleaid efo tua chant yn bresennol ar nos Sul a chanu gwefreiddiol gan fod nifer o gantorian Côr Meibion Llanddulas yn aelodau yno. Roedd Tŷ'r Gweinidog y drws nesaf i'r capel. Gofynnodd rhywun i'r Parch. John Alun Roberts a oedd unrhyw ardal lle roedd y Wesleaid yn gryfach na neb arall. Atebodd yntau, "Rhyd-y-foel, Llanrhaeadr-ym-Mochnant, Tre'r-ddôl a'r Nefoedd!" Mynydd Seion, Llysfaen, Horeb, Betws-yn-Rhos, y Dawn a'r Neuadd, Llanddulas oedd y capeli eraill dan fy ngofal. Bu cryn gystadlu rhwng Rhyd-y-foel a Mynydd Seion ac weithiau oddi mewn i Fynydd Seion! Clywais gan un teulu, "Os ydi gweinidog yn llwyddo yn Llysfaen wnaiff o ddim byd ohoni yn Rhyd-y-foel!" Gwnes fy ngorau!

43

Yn 1965 daeth y symud i Langollen yn Arolygwr ar Gylchdaith fechan Llangollen – yr Arolygwr ieuangaf yn y cyfundeb! Cofiwch mai fi oedd yr unig 'staff'. Rhaid bod rhywfaint o fwynder Maldwyn wedi cyffwrdd â Chylchdaith Llangollen. Bûm am bum mlynedd hapus yn mwynhau awyrgylch hael a rhyddfrydig yr Eisteddfod Ryngwladol a'r fro o gwmpas. Capeli'r Gylchdaith oedd Glyndyfrdwy, Rhewl, Pentre-dŵr, Llangollen a Phontfadog. At y rhain roeddwn yn gofalu am yr eglwys Saesneg sydd ar lan yr afon yn Llangollen – eglwys y 'Picture Postcard'.

Hefyd bu'n gyfnod gweithgar efo'r Eisteddfod. Rhaid oedd gwisgo bathodyn 'Finance Official' fel aelod o'r Pwyllgor Cyllid. Cefais gyfle'n ddiweddarach (aflwyddiannus hyd yma) i gynnig bod Eisteddfod Llangollen yn derbyn Gwobr Heddwch Nobel. Roedd sefydlu'r Eisteddfod ym Mehefin 1947 yn fenter lawn gweledigaeth gan anelu at gael pobl o bob cwr o'r byd at ei gilydd mewn dathliad o ddawns ac o gân. 'Byd gwyn fydd byd a gano, gwaraidd fydd ei gerddi fo'.

Erbyn heddiw bu cystadleuwyr o ugeiniau o wledydd yn y dref fechan ar lan Dyfrdwy. Mae pobl yn dal i siarad am ymweliad côr o'r Almaen yn syth ar ôl y rhyfel. Sut fath o dderbyniad oedd yn eu haros? Doedd dim rhaid poeni, cododd y dyrfa yn y babell ar ei thraed i groesawu'r cantorion a gwnaed casgliad i helpu cyfarfod â chostau'r daith. Dyna ysbryd Llangollen a braint oedd cael bod am bum mlynedd yn rhan ohono. Daeth ein tymor i ben ac ar y dydd Iau cyn y Sul cyntaf ym Medi 1970, diwrnod symud gweinidogion Wesle, llwythwyd ein dodrefn ar y fan ac i ffwrdd â ni i gyfeiriad Llandudno. Erbyn hyn roeddem yn deulu o bump – Eirlys, Rhian, Siân, Gareth a minnau. O un Llan braf i Lan braf arall. O ardal Collen sant i ardal Tudno sant. Erstalwm, doedd dim dodrefn yn perthyn i'r gweinidog; roedd pob dodrefnyn a theclyn , pob blanced a chlustog yn perthyn i'r Mans Wesleaidd. Rhyw gipolwg ar hynny a gawsom ni – dim ond y dodrefn oedd yn y Mans oedd yn perthyn i'r Gylchdaith ac yn fuan iawn diflannodd yr arferiad hwnnw hefyd a chafwyd cymhorthdal i ddodrefnu yn ôl ein chwaeth ein hunain. Erbyn heddiw mae yna drefniadau i weinidog allu prynu ei dŷ ei hun ac aeth yr hen drefn deithiol Wesleaidd yn ddieithr iawn. Dyna un rheswm i ni aros cymaint o flynyddoedd yn Llandudno.

Oherwydd marwolaeth dau weinidog ar Gylchdaith Arfon rhaid am dair blynedd oedd gofalu am ran o'r Gylchdaith honno ym mro'r chwareli. Cefais groeso cynnes iawn. Ychydig o'r aelodau oedd yn cytuno â mi'n wleidyddol ond ni chredaf i hynny wneud gronyn o wahaniaeth. Mae rhai'n amau a yw'n bosib cyfuno gwleidyddiaeth a chrefydd. Os yw pobl, yn aelodau a gweinidog, yn parchu ei gilydd nid oes rhaid poeni. Mae'r efengyl yn gwbl addas i bob un yn y gymdeithas – ein cyfrifoldeb tuag at Dduw a'n cyfrifoldeb tuag at ein gilydd.

Symudais yn ôl i ofalu am Gylchdaith Dyffryn Conwy am weddill fy ngweinidogaeth, ar wahân i fisoedd Toronto. Digwyddodd cymaint yn ystod blynyddoedd Llandudno yn y teulu, yn y capeli, mewn gwasanaeth cyhoeddus a gwleidyddol a bydd rhaid crybwyll rhai o'r rhain mewn penodau eraill.

Nid wyf yn siŵr a yw'n wir na pherchir proffwyd yn ei wlad ei hun. Cofiwch mai dau o'r ardal oedd Eirlys a minnau, ond cawsom gyfeillgarwch a chymwynasau a chariad yn y cylch ac ar y Gylchdaith tu hwnt i unrhyw haeddiant. Roedd yn rhaid cynnwys 'Llandudno' pan gefais y cyfle o ddewis enw ar y dyrchafiad i Dŷ'r Arglwyddi. Nid oedd yn bosib hawlio 'Yr Arglwydd Roberts o Landudno, Penmachno, Capel Garmon, Maenan, Llanrwst, Cyffordd Llandudno, Ochr y Penrhyn, Aberdaron, Llysfaen ... ac ymlaen.' Roedd rhaid dewis un enw ond mae fy nyled i bob un o'r lleoedd hyn a llawer lle arall.

Pennod 7

Bai Anti Maggie a Mrs J.T.

Roedd Miss Margaret Williams, Central Buildings, Conwy yn Rhyddfrydwraig i'r carn. Ei thad oedd yr Henadur John Williams, gynt o'r Felin, Gyffin ac wedyn o Central Buildings, Heol y Castell, Conwy. Miss Williams, Anti Maggie, oedd yr un a gyflwynodd y rhodd, dros y Gymdeithas Ryddfrydol, o set te arian i Mr Lloyd George a Miss Frances Stevenson ar eu priodas ar Hydref 23, 1943.

Yn ein teulu ni roedd yna ddau John Williams o Gonwy. Y cyntaf oedd fy hen, hen daid o'r Felin, Gyffin a symudodd i gadw siop Ironmonger yn Central Buildings, Conwy. Ei fab Owen Williams a anwyd yn 1839 oedd tad Annie, Nain Capel Garmon, a anwyd yn 1867. Llongwr oedd Owen Williams a bu farw yn 1869 pan oedd Nain yn ddwyflwydd oed. Er i mi chwilio hen fynwent St Agnes yng Nghonwy a rhifynnau o'r papurau lleol hyd yma ni chefais gadarnhad mai boddi oedd diwedd fy hen daid.

Brawd Owen oedd John yr ieuangaf ac un o'r digwyddiadau rydym yn hynod falch ohono fel teulu yw i'r John Williams hwnnw gael ei droi allan o gyfarfod Torïaidd yn 1890 am heclo! Digwyddodd hynny yn ystod yr ymgyrch is-etholiad pan enillodd Lloyd George sedd

Bwrdeistrefi Caernarfon o 18 pleidlais. Y stori yw i John ac Edward Jones, Cadwern, Conwy, dau Ryddfrydwr pybyr a'r ddau'n flaenoriaid yng nghapel Wesle, y Tabernacl, Conwy fynd i Neuadd y Dref i gyfarfod cyhoeddus cefnogwyr y sgweiar Ellis Nanney, ymgeisydd y Ceidwadwyr. Cynhyrfwyd y ddau gan yr hyn oedd yn cael ei ddweud, methent â chadw'n ddistaw a'r canlyniad oedd i'r ddau ŵr parchus gael eu troi allan o'r cyfarfod. Un o'r digwyddiadau rydym ni fel teulu yn dal i ymfalchïo ynddo! Roedd Rhyddfrydiaeth yn y gwaed ac roedd John Williams, cynhyrfwr 1890, yn hen ewyrth i mi.

Diolch i gyfaill i mi am rigwm oedd yn boblogaidd gan gefnogwyr Lloyd George yn ystod yr etholiad.

> Pe bai gen i wn dau faril
> A bwledi mawr fel swêj,
> Mi saethwn Mr Nanney
> I lawr o ben y stêj!

Mrs J. T. Jones, Cadnant Park, Conwy oedd un o'r dyrnaid o Ryddfrydwyr hynny a safodd yn gadarn pan oedd y blaid ar ei gwannaf yn y 1950 a'r 1960au. Ym mhob dim roedd yn cefnogi a cheisio rhoi cyfle i'r ifanc. Yn yr Ysgol Sul bu'n athrawes arnaf i ac, wedyn, yn gefnogol iawn yn y cyfarfodydd gwleidyddol. Cefais y fraint o ddweud gair o deyrnged yn ei hangladd pan oeddwn i'n ymladd yng Nghonwy am y tro cyntaf. Mae ei mab John Trevor a minnau wedi bod yn gyfeillion ar hyd y blynyddoedd. John oedd trysorydd y symudiad i sicrhau dŵr glân a diogel yn Rwanda yn ystod y rhyfel cartref yno a bu gynt yn swyddog gydag UNESCO.

Nain Capel Garmon, Mam
a minnau

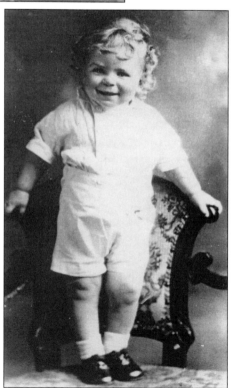

Fy anerchiad cyntaf
yn ddwyflwydd oed

Y fi, Margaret,
Janet (bu farw
Gorffennaf 2010)
a Sam

Fy mam yng nghyfraith –
Catherine Grace Roberts

Fy rhieni

Sam Parry – Taid Llanrwst
hefo Cadair Eisteddfod
Llanrwst 1931

Hefo Guto Ffowc a thri o ddarpar weinidogion yng Ngholeg Handsworth

Eirlys a minnau ar ddydd ein priodas, 27 Hydref, 1962

Y ddau ohonom ar wyliau yng ngwlad Groeg

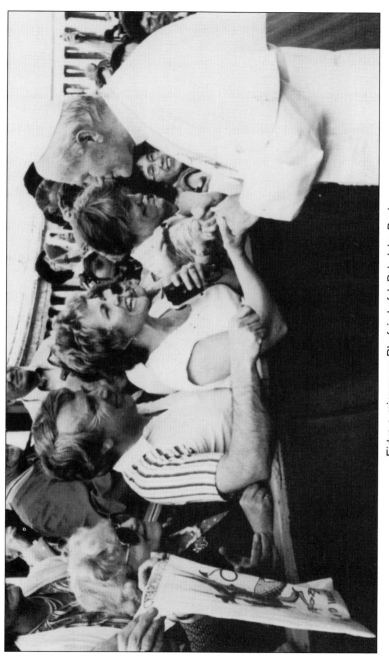

Eirlys a minnau yn Rhufain hefo'r Pab John Paul

Capel Ebeneser, Llandudno

Ennill Osgar yn y ddrama 'Night on the Hill'!

Pam Rhyddfrydwr? Dylanwad unigolion fel Mrs J.T. ac Anti Maggie, natur gynhenid ac effaith yr hyn a welais ddiwedd y rhyfel. Yn y sinema yng Nghonwy cael fy nghyffroi gan y *newsreel* yn 1945 yn dangos agor giatiau Belsen, Auschwitz a gwersylloedd lladd eraill y Natsïaid, gweld effaith yr Holocost, pan lofruddiwyd chwe miliwn o Iddewon a llawer arall. Edrych ar y tomennydd o sgerbydau, ac wedyn y rhai oedd yn dal yn fyw yn ymdrechu i ymlusgo tua'r giatiau oedd newydd eu hagor. Hyd heddiw rwy'n rhewi drwof wrth feddwl am y fath sataniaeth oedd yn medru trin pobl yn y fath ffordd. Ac er yn ifanc iawn – rhyw naw oed oeddwn ar y pryd – yn penderfynu nad oedd hyn i ddigwydd eto. Rhywfodd, roedd credu'n angerddol yng ngwerth pob unigolyn a Rhyddfrydiaeth yn perthyn i'w gilydd.

Dwy waith yn unig y bu bron i mi gefnu ar y blaid Ryddfrydol. Pan oeddwn yn fyfyriwr ym Mangor mynd i wrando Gwynfor Evans, Llywydd Plaid Cymru, a chael fy sbarduno ganddo. Ystyried ymaelodi â Phlaid Cymru ond daeth siaradwr arall tra enwog i annerch ar ei ôl. Dyma pryd roedd gwledydd yn arbrofi ac yn ffrwydro bomiau niwclear a dyma'r siaradwr arall yn dweud eu bod yn erbyn yr arbrofi hwn oherwydd y niwed i blant Cymru. Dim sôn am y niwed i blant eraill y byd! Ni ymaelodais â Phlaid Cymru.

Y tro arall oedd tua 1954, mewn un bleidlais, ac un yn unig, yn Nhŷ'r Cyffredin dyrnaid o Ryddfrydwyr yn cefnogi ymosod ar Suez. Nid y fi oedd yr unig un i wrthod eu safbwynt ac mewn ychydig ddyddiau newidiwyd y

49

polisi ac roeddwn yn ôl yn yr hen gartref. Na, mae'n rhaid bod gwaed Rhyddfrydol yr hen, hen daid yn llifo'n gryf drwof fi.

Gilbert a Sullivan sy'n datgan: "Every child who is born alive is either a little Liberal or a little Conservative." Pan ddeuthum i'r byd heb unrhyw ddadl 'little Liberal' oeddwn i. Hyd heddiw ni allwn ystyried cefnogi'r blaid Geidwadol. Mae'r holl agwedd yn groes i'r graen i mi.

Rhaid oedd wrth glymblaid wedi etholiad 2010. Roedd y sefyllfa economaidd yn gorfod cael ei datrys. Ond clymblaid dros dro sydd, fel yng Nghaerdydd, yn San Steffan. Nid priodas, na chanlyn hyd yn oed, ond rhyw fath o gytundeb busnes!

Yn Ysgol John Bright, Llandudno dan ddylanwad Sosialydd Mr T. I. Davies, athro hanes, cefais ddarganfod beth oedd canlyniadau rhyfel ac anghyfartaledd. Cefnogwr cadarn y Cenhedloedd Unedig oedd T. I. Davies a minnau'n ei ddilyn. Cefais gyfle i gynrychioli mewn cynhadledd ieuenctid yn Llundain dan nawdd y 'Council for Education in World Citizenship'. Tra yno gelwais heibio'r pencadlys Rhyddfrydol yn Victoria Street. O fewn blwyddyn roeddwn yn sefydlu canghennau o'r Rhyddfrydwyr Ifanc ac yn treulio gormod o lawer o amser yn gwleidydda.

Daeth cyfle i fod yn gynrychiolydd yng Nghynhadledd y blaid Ryddfrydol yn Ilfracombe yn 1953 – rhywun, yn ddienw, yn gwthio £15 i dalu'r costau drwy dwll llythyrau fy nghartref. Ond ni chyrhaeddais Ilfracombe. Cyrhaeddodd y frech goch yn gyntaf rhyw dridiau cyn teithio yno!

Rhaid oedd aros i gynrychioli hyd 1954 pan gynhaliwyd y Gynhadledd yn Buxton.

Teimlwn yn dipyn o wleidydd wrth deithio i Buxton! O ble daeth y siwt ddu a'r tei coch? Ni wn, ond cyrhaeddais y Gynhadledd. Y pryd hynny prin fod 200 o bobl yno. Yn 2009 yng Nghynhadledd Birmingham roedd tua 5,000 yn bresennol! I mi, yn fachgen rhyw ddeunaw oed, roedd yn fraint cael cynrychioli yn y Gynhadledd a chyfarfod â rhai eithaf enwog – clywed Clement Davies yn areithio ac roedd yn areithiwr cryf a dramatig; sgwrsio â Lord Layton, economydd enwog a gweld rhai o blith y gorffennol fel yr Henadur Charles Roberts a fu'n weinidog yn llywodraeth Asquith. Ond prin oedd y doniau a dim ond dau aelod seneddol yno.

I ble roedd Cynhadledd 1955 am fynd? Mi fentrais gynnig Llandudno a minnau'n ysgrifennydd lleol! Er mawr syndod derbyniwyd y gwahoddiad, gwahoddiad myfyriwr deunaw oed! Pan ddaeth y Gynhadledd ychydig oedd yno, dim mwy na 200, yn y Pier Pavilion oedd yn dal yn agos i ddwy fil. Er gwaethaf popeth, cafwyd Cynhadledd i'w chofio.

Yng Nghynhadledd Llandudno 1955 cefais sgwrs â Jeremy Thorpe a ddaeth mewn amser yn arweinydd y Rhyddfrydwyr. Roedd yn ddawnus ac yn gallu cyfathrebu'n effeithiol efo'r etholwyr. Fo oedd yn arwain yn etholiadau Chwefror a Hydref 1974 ac yn 'extrovert' wrth wneud hynny. Ymhen rhyw dair blynedd daeth y cwymp ac er iddo gael ei ddedfrydu'n ddieuog o gynllunio llofruddiaeth methodd ag argyhoeddi ei blaid ei hun. Collodd ei sed yn fuan wedyn.

Yn niwedd 2007 ac wedyn yn 2008 cefais bwt o sgwrs efo Jeremy Thorpe wrth iddo ymweld â San Steffan. Cyfarchodd fi yn yr iaith Gymraeg. Roedd cysylltiad rhwng ei deulu a theulu Lloyd George, a'r Fonesig Megan Lloyd George oedd ei fam fedydd.

Ond yn ôl at Gynhadledd 1955. Roedd Clement Davies yn wael a Jo Grimond, aelod seneddol Orkney a Shetland a ddilynodd Clement Davies fel arweinydd, yn cymryd ei le. Cynhaliwyd Seiat Holi ar y nos Wener ond chwarter awr cyn i honno ddechrau clywsom ddarllediad radio arbennig gan y Prif Weinidog Syr Anthony Eden ac yntau'n cyhoeddi bod Etholiad Cyffredinol i'w gynnal ar Fai 25, 1955. Dim ond 109 o ymgeiswyr Rhyddfrydol a safodd y flwyddyn honno ac enillwyd chwe sedd.

Roedd chwilio am ymgeisydd i etholaeth Conwy a derbyniodd Dr Mostyn Lewis, Gresffordd, y gwahoddiad ond ennill dim ond 8.3% o'r bleidlais. Dyma flynyddoedd gwannaf y Rhyddfrydwyr. Roedd pethe'n edrych yn dywyll iawn.

Ond roedd rhai yn dal yn driw i Ryddfrydiaeth. Yng ngogledd Cymru mae dyled arbennig i Mr Geraint Madoc Jones o Ddinbych a oedd yn ysgrifennydd Plaid Ryddfrydol Cymru, Mr Gomer Owen, Y Rhyl a safodd mewn un etholiad ar ei gost ei hun rhag i'w etholaeth yn Sir y Fflint fod heb ymgeisydd Rhyddfrydol, a'r Dr Glyn Tegai Hughes a ddaeth o fewn trwch blewyn i ennill etholaeth Dinbych yn 1950. Y Fonesig Olwen Carey Evans oedd yr unig aelod o deulu Lloyd George i aros ym mhlaid ei thad.

Pennod 8

Boddi'n agos i'r lan

Ni dderbyniais wahoddiadau i fod yn ymgeisydd seneddol tra oedd yr Eglwys Fethodistaidd yn gwahardd y fath ymgeisio. Un gweinidog Wesle, y Parch. R. M. Kedward a fu'n aelod seneddol erioed gan gynrychioli Bermondsey yn 1923 ac Ashford yn 1929. Safodd y Parch. D. Gwynfryn Jones yn Sir y Fflint yn y Dau Ddegau. Bu nifer o weinidogion o enwadau eraill yn aelodau seneddol – y Parch. Towyn Jones, Parch. Llewelyn Williams ac wrth gwrs y Parch. Henry Richard.

Mae llawer o feibion y Mans Wesleaidd wedi bod yn ymgeiswyr Rhyddfrydol ac yn eu plith Dr Glyn Tegai Hughes, mab y Parch. John Hughes, Mr Geraint Williams mab y Parch. Daniel Williams a Mr W. Elwyn Jones, mab y Parch. R. W. Jones. Yn y pleidiau eraill roedd rhai fel Syr Wyn Roberts, mab i'r Parch. E. P. Roberts, Dafydd Elis-Thomas, mab y Parch. W. E. Thomas, a Cledwyn Hughes, mab y Parch. H. D. Hughes.

Pan ddaeth y cyfle a'r posibilrwydd o gael caniatâd roeddwn yn barod i sefyll yng Nghonwy a dyna'r unig etholaeth i mi ei hymladd gan obeithio, bob tro, ein bod ar fin cipio'r sedd!

Roeddem wedi symud i Landudno yn 1970 ac yr oeddwn yn un o'r rhai a gefnogai Dr David T. Jones fel ymgeisydd Rhyddfrydol yn etholiadau Chwefror a Hydref 1974. Aeth y bleidlais i fyny'n sylweddol ond nid oedd yn bosib i David Jones ymladd eto oherwydd iddo gael ei benodi yn Feddyg Cymunedol Sir Ddinbych. Dechreuais ymgyrchu yn ystod haf 1978, yn hanner disgwyl etholiad ym mis Hydref, ond ni ddaeth etholiad tan y gwanwyn. Isel iawn oedd gobeithion y Rhyddfrydwyr a'r hyn a wnaeth fynydd o wahaniaeth oedd i David Alton ennill sedd Edge Hill, Lerpwl mewn is-etholiad fis cyn yr etholiad cyffredinol. Newidiodd ei fuddugoliaeth yr holl awyrgylch.

Yng Nghonwy cadwyd y bleidlais ond heb ei chynyddu i'r graddau roeddem yn ei obeithio. Y canlyniad yn 1979 oedd:

Wyn Roberts (Ceidwadwr)	18,142	(44.7%)
Gerson Davies (Llafur)	12,069	(29.8%)
Roger Roberts (Rhyddfrydwr)	6,867	(16.9%)
Emyr Price (Plaid Cymru)	3,497	(8.6%)
Mwyafrif	6,073	(14.9%)

Roeddwn yn edrych ymlaen at yr etholiad nesaf oherwydd dyma'r blynyddoedd pan rwygwyd y blaid Lafur efo nifer fawr o aelodau seneddol ac eraill yn ffurfio'r SDP. Roedd y gobeithion yn fawr efo polau piniwn yn rhoi'r Rhyddfrydwyr a'r SDP ymhell ar y blaen. Yr hyn a rwystrodd y naid oedd rhyfel y Falklands efo'r Ceidwadwyr yn adennill cefnogaeth. Ond yng Nghonwy roedd cynnydd sylweddol yn 1983:

Wyn Roberts (C)	16,413	(41.7%)
Roger Roberts (Rh)	12,145	(30.8%)
Ira Walters (Ll)	6,731	(17.1%)
Dafydd Iwan (PC)	4,105	(10.4%)
Mwyafrif	4,268	(10.9%)

Cefais fy newis yn Llywydd Plaid Ryddfrydol Cymru ac er bod y rhan fwyaf o'm hymgyrchu yng Nghonwy roedd gofyn i mi ymweld ag ambell etholaeth arall. Pan ddaeth etholiad 1987 yr oeddem yn ymladd fel Cynghrair (Liberal SDP Alliance). Er cael cefnogaeth ganolog i etholaeth Conwy roedd yr anesmwythyd ymhlith yr arweinwyr Dr David Owen a David Steel yn ei wneud yn etholiad anodd – neu, hwyrach i'r blynyddoedd ddechrau dweud arnaf! Rwy'n cofio cyfarfodydd lluosog yn enwedig yn ochrau Bangor ond doedd dim cynnydd mawr i fod a'r canlyniad oedd:

Syr Wyn Roberts (C)	15,730	(38.7%)
Roger Roberts (Cyng/Rhydd)	12,706	(31.2%)
Mrs Betty Williams (LL)	9,049	(22.3%)
Rhodri Davies (PC)	3,177	(7.8%)
Mwyafrif	3,024	(7.5%)

Yn y blynyddoedd hyn roeddwn wedi cymryd rhan mewn llu o ddarllediadau radio a theledu ac wedi trefnu darllediadau gwleidyddol y blaid. Cawsom dipyn o gyhoeddusrwydd a 'sound bites' gafaelgar fel yr un gan Mr Arwyn Evans, Bangor pan oedd Llafur yn ceisio ein dirmygu am newid enw o Ryddfrydwyr i Gynghrair i Ddemocratiaid Rhyddfrydol – "Gwell newid eich enw a chadw eich egwyddorion na chadw eich enw a cholli'ch egwyddorion" ("It is better to change your name and keep your principles than to keep your name and lose your principles!")

Etholiad 1992 oedd y gorau i ni o'r cwbl ac rwy'n cofio'n dda yr ugeiniau o fyfyrwyr Bangor yn gorlenwi cartref Keith a June Marshall a'r disgwyl am ganlyniad gwerth ei gael ac fe'i cawsom – o fewn trwch blewyn i ennill y sedd. Y canlyniad oedd:

Syr Wyn Roberts (C)	14,250	(33.7%)
Roger Roberts (Dem Rhydd)	13,255	(31.4%)
Mrs Betty Williams (Ll)	10,883	(25.8%)
Rhodri Davies (PC)	3,108	(7.6%)
O.Wainwright (C Ann)	637	(1.5%)
David Hughes (Natural Law)	114	(0.3%)
Mwyafrif	995	(2.4%)

Penderfynais, wedi cryn ystyried, i fynd ymlaen unwaith eto – wedi'r cwbl, beth oedd 995 o fwyafrif? Roedd Conwy yn un o brif dargedau'r Democratiaid Rhyddfrydol a chawsom ymweliadau cyn yr etholiad ac yn ystod y frwydr gan David Steel, Paddy Ashdown, Shirley Williams, Emma Nicholson, ac o Dŷ'r Arglwyddi Emlyn Hooson, Alex Carlile, Martin Thomas, Geraint Howells, Richard Livsey. Daeth hyd yn oed David Alton a oedd erbyn hyn yn annibynnol i ymgyrchu.

Danfonwyd cannoedd o filoedd o lythyrau a thaflenni

ac ni allaf byth ddweud pa mor ddiolchgar rydwi i'r rhai a weithiodd mor ddiarbed er mwyn ceisio ennill sedd Conwy. Daeth llu o lawer lle i'n helpu a'm dyletswydd yw eu henwi ond os gwnaf hynny rwy'n siŵr o anghofio rhai enwau. Yr unig gwmwl oedd i ymgeisydd Democrataidd Rhyddfrydol annibynnol ddod ymlaen. Dim ond 250 pleidlais a gafodd o ond rhôi'r argraff, gwbl anghywir, ein bod wedi rhwygo fel plaid yn yr etholaeth. Roedd y gŵr hwnnw yn gyn-drefnydd yr etholaeth ac wedi colli ei swydd. Rwy'n credu i'w ymyrraeth ein rhwystro rhag ennill y sedd ac rwy'n dal i ddyfalu pwy oedd y tu ôl iddo fel ymgeisydd.

Canlyniad 1997 yng Nghonwy oedd:

Mrs Betty Williams (Ll)	14,561	(35%)
Roger Roberts (Dem Rhydd)	12,965	(31.2%)
David Jones (C)	10,085	(24.3%)
Rhodri Davies (PC)	2,844	(6.8%)
A.Barnham (Refferendum)	760	(1.8%)
R.Bradley (Dem Rhydd Ann)	250	(0.6%)
David Hughes (Natural Law)	95	(0.2%)
Mwyafrif	1,596	(3.8%)

O'r diwedd roeddem wedi curo'r Tori ond dyna'r etholiad pan sgubwyd Tony Blair i Downing Street ac yng Nghonwy, fel mewn ugeiniau o leoedd eraill, ni allem wrthsefyll y llanw Llafur. Ie, unwaith eto boddi yn agos i'r lan.

Yr unig etholiad i mi ei ymladd ar ôl hynny oedd

Etholiad Ewrob. Dyna gyfle i ymweld â phob rhan o Gymru heb boeni am drefniadau'r ymgyrch. Gallwn ddiolch i lawer am eu gweithgarwch yn ystod yr ymgyrch ond yn arbennig i'r Cynghorydd Kate Lloyd, a roddodd lety dros dro i mi yng Nghaerdydd ac i Miss Judi Lewis a Gwyn Griffith, y ddau yn *chauffers* diflino.

Pennod 9

Lloyd George i Kirsty

'Plaid Lloyd George?' Yn negawdau cynta'r ugeinfed ganrif er bod rhannau o Gymru yn gefnogol i Asquith, Lloyd George oedd arwr y werin. Hyd yn oed yn 1985 rwy'n cofio ymweld â thŷ efo darlun mawr o LL.G. yn dal ar y pared, 'Lloyd George in his robes as Chancellor'. Ddaeth neb i gymryd lle Aneurin Bevan a LL.G. yn brif arwyr radicaliaid Cymru.

Canlyniad rhwyg rhwng Lloyd George ac Asquith oedd y sefyllfa yng Ngheredigion lle safodd dau Ryddfrydwr yn erbyn ei gilydd yn etholiadau 1922 ac 1923. Un o'r rheini, Rhys Hopkin Morris, oedd yr unig aelod o'i blaid yn San Steffan i bleidleisio yn erbyn LL.G. fel arweinydd. Daeth Hopkin Morris yn bennaeth y BBC yng Nghymru ac o bob tystiolaeth yn ŵr o gymeriad aruchel iawn. Etholwyd ef unwaith eto yn 1945 yn aelod dros Sir Gaerfyrddin ac, wedyn, yn ddirprwy Lefarydd Tŷ'r Cyffredin.

Ond hyd ei farw yn 1945 Ll.G. oedd 'Y Rhyddfrydwr'. Etholwyd ei ferch Megan a'i fab Gwilym yn aelodau seneddol. Nid oedd llawer o gariad rhwng ei ferch Megan a Clement Davies yr arweinydd a etholwyd yn 1946. Wedi colli sedd Ynys Môn lle roedd yn aelod Rhyddfrydol ymunodd Megan â'r blaid Lafur a'i hethol yng Nghaer-fyrddin am ychydig amser a'i brawd Gwilym yn weinidog mewn llywodraeth Geidwadol, ond arhosodd Clement yn y tresi Rhyddfrydol yn Sir Drefaldwyn hyd ei farw yn y chwedegau.

Y pryd hynny doedd dim arweinydd ar wahân ar gyfer Rhyddfrydwyr Cymru, a Jo Grimond a ddilynodd Clement Davies yn arweinydd Prydeinig.

Clement Davies a Jo Grimond – dau gwbl wahanol. O ran natur ei arweinyddiaeth roedd Clem yn yr hen draddodiad Cymreig, bron i mi ddweud, steil y pulpud efo'r hwyl, yr eglurebau a'r perorasiwn. Gallai fod yn ysgubol wrth areithio a chodi'r gynulleidfa i'r uchelfannau. Prin fod y steil yna'n bod heddiw ar lwyfan na phulpud. Gwahaniaeth amlwg arall heddiw yw i bob arweinydd gael staff ond pan oedd Clement Davies yn ateb llythyr, roedd yr ateb hwnnw yn ei lawysgrif ei hun. Dyna fyd o wahaniaeth rhwng bod yn arweinydd hanner can mlynedd yn ôl a heddiw.

Deuddeg o aelodau seneddol Rhyddfrydol oedd yn 1945 pan oedd Clem yn arwain , a saith o'r rheini o Gymru. Yn 1950 etholwyd naw trwy Brydain i gyd ac i lawr i bump yn 1957. Rhwng 1945 a 1950 doedd dim un aelod Rhyddfrydol o'r Alban. Ar hyd y blynyddoedd roedd o leiaf un Rhyddfrydwr o Gymru.

Ar farwolaeth Clem yn 1962 cafodd Emlyn Hooson fuddugoliaeth gref yn Nhrefaldwyn efo 51.3% o'r bleidlais. Yr unig aelod Rhyddfrydol arall o Gymru oedd Roderic Bowen yng Ngheredigion ac am ychydig etholwyd dim ond tri arall – Donald Wade ac Arthur Holt yn ddau heb eu gwrthwynebu gan y Torïaid a Jo Grimond ym mhellter yr Orkneys a Shetland. Dyna'r cyfnod pan sefydlwyd Plaid Ryddfrydol Cymru dan arweinyddiaeth Emlyn Hooson, un o'r aelodau mwyaf dawnus a welodd Cymru yn yr ugeinfed ganrif.

Roedd tymor Jo Grimond fel arweinydd yn un carismataidd ac yntau'n denu llawer o feddylwyr mwyaf craff y cyfnod i'w gynorthwyo, ond brwydr oedd hi o hyd i dorri drwodd a chael mwy o aelodau seneddol. Ymddiswyddodd Jo Grimond yn 1967 ac etholwyd Jeremy Thorpe i'w ddilyn. Dim ond y deuddeg aelod seneddol oedd yn cael pleidleisio! Enwebwyd Thorpe, Hooson ac Eric Lubbock a oedd wedi ennill is-etholiad hanesyddol yn Orpington. Yn y diwedd cytunwyd ar Jeremy Thorpe a gafodd chwe phleidlais! Eric Lubbock oedd yn brif chwip. Daeth rhwyg rhwng Thorpe ac Emlyn Hooson ac yn hunangofiant Thorpe dim ond un cyfeiriad cwta sydd at Emlyn o gwbl.

Yn etholiad 1970 collwyd hanner yr aelodau ac eraill fel David Steel a Jeremy Thorpe yn ennill o drwch blewyn.Am y tro cyntaf erioed collwyd Ceredigion ac Emlyn Hooson, yn unig, a etholwyd yng Nghymru.

Yn ystod etholiadau 1974, dau yr un flwyddyn, gwelwyd mor annheg oedd y modd o ethol aelodau seneddol. Yn Chwefror y canlyniad oedd:

Llafur	11,645,616 pleidlais a 301 aelod seneddol
Torïaid	11,872,180 a 297 aelod seneddol
Rhyddfrydwyr	6,059, 519 a dim ond 14 aelod seneddol

Roedd Thorpe yn arwain gyda *panache*, steil a charisma. Er hynny roedd ansicrwydd ymhlith aelodau blaenllaw'r blaid. Yna cafwyd cyhuddiadau i Thorpe gynllwynio i lofruddio Norman Scott. Yr honiad oedd fod perthynas rywiol rhyngddynt.

Roedd rhan o'r hanes yn Nhal-y-bont, Dyffryn Conwy, lle'r arferai Norman Scott farchogaeth. Cwynodd Scott am Jeremy Thorpe wrth gyn-bostfeistres y pentref, Mrs Gwen Parry-Jones. Wedi marw sydyn Mrs Parry-Jones cynhaliwyd Cwest ym Mangor ac yn ei dystiolaeth enwodd Norman Scott yr arweinydd Rhyddfrydol Jeremy Thorpe a'i gyhuddo o rwystro Scott rhag cael Cerdyn Yswiriant, ymhlith pethau eraill. Ychydig iawn o sylw a roddwyd gan y cyfryngau i'r achos hwnnw. Mae'r newyddiadurwr o Landrillo-yn-Rhos, Derek Bellis, yn cofio'r achlysur yn dda ac ymhen ychydig ddyddiau ffoniwyd ef gan Jeremy Thorpe i ddiolch am adroddiad teg o'r Cwest. Rhaid oedd aros achos llys arall yn Barnstable cyn i'r storm dorri. Dyna pryd y cafodd honiadau Scott sylw'r cyfryngau ac ar ôl hynny misoedd o gyhoeddusrwydd.

Ni chofiaf unrhyw gyfnod anoddach yn hanes y Rhyddfrydwyr, nid yn unig cyhuddiadau yn erbyn yr arweinydd ond hefyd yn erbyn cyn-aelod seneddol, Peter Bessell. Dyma'r cyfnod pryd roedd dryswch ynglŷn â sefyllfa ariannol y National Liberal Club, pencadlys y blaid yn Llundain ac ansicrwydd ynglŷn ag arian gan gefnogwr, Jack Hayward, a fwriadwyd ar gyfer y blaid ond heb gyrraedd.

Y dyddiau hynny, bron nad oedd ar Ryddfrydwyr cyffredin ofn agor eu papur newydd! Cyril Smith oedd y prif chwip a 'dwi'n cofio araith ganddo yn ymosod ar y cyfryngau a'r pleidiau eraill a geisiai ledaenu'r syniad fod y Rhyddfrydwyr yn anonest. "We are not crooks," meddai! Na, ond roedd cwymp Thorpe yn anochel. Er iddo gael ei ddyfarnu'n ddieuog o gynllwynio i lofruddio Norman Scott roedd yn ddiwedd ar ei yrfa Seneddol. Collodd yr arweinyddiaeth a'i sedd yn yr etholiad dilynol.

Dros dro daeth Jo Grimond eto i arwain ond am yr arweinyddiaeth barhaol cafwyd cystadlu brwd rhwng David Steel, aelod Roxburgh, Selkirk a Peebles a John Pardoe, aelod Gogledd Cernyw. Am y tro cyntaf roedd holl aelodaeth y blaid yn cael llais yn y penodiad ac etholwyd David Steel.

Yn Llandudno y cynhaliwyd cynhadledd gyntaf David Steel, yn yr hen Bafiliwn ac amryw o'r aelodau yn ofni ei fod am arwain i gyfeiriad clymblaid. Yn ystod cynhadledd gyffrous a chynhyrfus roedd baneri 'No Coalition' yn cael eu chwifio yn y Pafiliwn, yn enwedig yn ystod araith David Steel. Ymhlith y cynrychiolwyr roedd Peter Hain a fu ar ôl hynny yn weinidog mewn llywodraethau Lafur ac yn Ysgrifennydd Cymru.

Rhyfedd i nifer o gyfarfodydd pwysicaf y Rhydd-frydwyr gael eu cynnal yn Llandudno. Yno yn 1955, a minnau'n ysgrifennydd lleol pedair ar bymtheg oed, y daeth Jo Grimond i'r amlwg yn rhoi araith arweinydd oherwydd gwaeledd Clement Davies. Yn 1977, yno y cafwyd araith gyntaf David Steel fel arweinydd; yn 1982 cynhaliwyd cyfarfod hanesyddol pan osodwyd y sylfeini i'r undeb rhwng yr SDP a'r Rhyddfrydwyr. Yn yr un gynhadledd anfonwyd ni adref 'I baratoi ar gyfer llywodraeth'. Dan arweiniad David Steel cafwyd blynydd-oedd o gynnydd. Yn rhan o hyn, wrth gwrs, roedd y cytundeb yn 1978 i gydweithio efo llywodraeth Lafur James Callaghan.

Oherwydd fy ngwaith fel gweinidog ni chymerais ran flaenllaw yn y trafodaethau yn nechrau'r wythdegau i uno'r Rhyddfrydwyr a'r SDP. Cynrychiolwyd y Rhydd-frydwyr Cymreig gan Gwyn Griffiths o Fwcle a Donald Crook o Fae Colwyn. Cyfarfodydd oedd, nid yn unig yn para oriau lawer, ond yn aml yn anodd. Pan oeddwn yn bresennol mewn un cyfarfod fel sylwebydd, cafwyd storm go iawn! Ac nid arnaf i roedd y bai. Ond yn y diwedd cafwyd cytundeb ac erbyn heddiw mae'r blaid unedig yn hollol ddedwydd. Mae'n fraint cydweithio â rhai fu gynt yn aelodau o'r SDP – Shirley Williams, Charles Kennedy, Tom McNally, Bill Rogers, Bob Maclennan, Dick Newby ac eraill. Yn wir, yn Nhŷ'r Argwyddi rydym eisoes wedi anghofio o ba gefndir y daethom.

Yn ôl y polau piniwn, David Steel oedd yr arweinydd mwyaf poblogaidd o unrhyw blaid. Roedd yn fab y Mans, wedi sefyll yn gryf yn erbyn hiliaeth ac yn bensaer y Mesur Erthylu. Arweinydd mentrus a phoblogaidd yn ei blaid ei hun ac yn y wlad yn gyffredinol. Ymhellach ymlaen fe'i hetholwyd i Senedd yr Alban ac ef oedd eu Llefarydd cyntaf. Erbyn heddiw mae ar y meinciau cochion yn Nhŷ'r Arglwyddi.

Cynhaliwyd yr etholiad ar Fai 3ydd 1979 ac er gwaethaf ein holl ofnau dim ond dwy sedd a gollwyd ac etholwyd un-ar-ddeg Rhyddfrydwr. Dyna'r flwyddyn y dychwelwyd Mrs Thatcher i Downing Street. Yng Nghymru etholwyd 11 o Dorïaid! Yn yr etholiad dilynol y ffigwr oedd 14.

Yn 1988 trosglwyddwyd yr arweinyddiaeth i Paddy Ashdown. Y dewis oedd rhwng Alan Beith, aelod Berwick on Tweed ac Ashdown, aelod Yeovil. Wrth ddewis Paddy Ashdown yn 1988 daeth bywyd gwahanol i'r blaid. Yr oedd Ashdown o gefndir milwrol, cefndir eithaf dieithr i Ryddfrydiaeth, yn drefnydd manwl a mentrus. Yn ystod rhyfel y Gwlff cafodd i'w gynorthwyo dîm ymgynghorol o arweinwyr milwrol enwog. Rwy'n cofio un sylw y pryd hynny: "We might have difficulty fighting an election, but boy, could we fight a war!"

Er gwaethaf un digwyddiad 'rhamantus' parhaodd Paddy Ashdown i ddebyn cefnogaeth ei blaid i'r diwedd. Ei brosiect mawr oedd y cydweithio efo Tony Blair, a Blair ei hun yn awyddus i benodi dau Ddemocrat Rhyddfrydol i'w gabinet. Petai mwyafrif Llafur yn llai ac angen mwy o gefnogaeth yn y Senedd rwy'n tybio y byddai hynny wedi dod yn ffaith.

Ymddiswyddodd Ashdown yn 1999. Yn y gystadleuaeth i'w olynu enwebwyd Jackie Ballard (Taunton), David Rendall (Newbury), Simon Hughes (Bermondsey), Don

Foster (Bath), Malcolm Bruce (Gordon) a Charles Kennedy (Skye etc). Charles a enillodd.

Pan etholwyd Charles yn Aelod Seneddol yn 1983 y fo oedd aelod ieuangaf y senedd. Yn fuan gwnaeth enw iddo'i hun fel un arbennig o ddawnus ac ni ryfeddodd neb pan aeth am yr arweinyddiaeth ar ymddeoliad Paddy Ashdown. Tyfodd y blaid yn sylweddol yn ystod ei dymor efo 62 o aelodau ar ôl etholiad 2005.

Unwaith eto, gan y Democratiaid Rhyddfrydol yr oedd yr arweinydd mwyaf poblogaidd ac yn enwedig oherwydd ei ddawn gartrefol ar y cyfryngau. Trist oedd y diwrnod yn Ionawr 2006 pan gyfaddefodd fod ganddo broblem alcohol. Y cwestiwn yw i ba raddau y gallwch arwain plaid â'r broblem hon fel cwmwl o ddydd i ddydd. Dywed rhai nad oedd y ddiod yn broblem i Asquith na Churchill. O'r arweinwyr i gyd Charles oedd yr un mwyaf agos atom ni ac edrychwn ymlaen at ei weld yn cymryd ei le eto yn un o brif swyddi'r blaid.

Dipyn o ddryswch oedd ethol dilynydd iddo. Simon Hughes, Ming Campbell a Chris Huhne oedd yn cystadlu. Enwebwyd Mark Oaten hefyd ond tynnodd allan cyn i'r ras gychwyn yn iawn. Ming Campbell a etholwyd, un a wnaeth enw arbennig iddo'i hun fel llefarydd tramor – "the best foreign secretary we never had!" Ei eiriau o oedd ddoethaf ynglŷn â'r helyntion yn Irac.

Ai dyma oes y bobl ifanc? Roedd Ming yn 65 oed ac, mi gredaf, i driniaeth cemotherapi adael ei hôl arno. Oherwydd ei oed roedd cartwnau'r papurau dyddiol yn greulon ac angharedig. Yn y diwedd, wedi i'r Prif Weinidog ohirio etholiad cyffredinol am ryw ddwy flynedd penderfynodd Ming mai annoeth fyddai parhau i arwain. Y tro hwn credaf mai triniaeth y cyfryngau a ddaeth â'r arweinyddiaeth i ben a hynny'n sydyn ac annisgwyl. Fe ymddiswyddodd yn gwrtais a di-stŵr.

Yn yr etholiad i'w olynu enwebwyd dau aelod seneddol abl iawn – Chris Huhne a Nick Clegg. Rhagfyr 17, 2007 oedd dyddiad cyhoeddi fod Nick Clegg wedi cipio'r wobr o ryw 500 o bleidleisiau. Dyna agor cyfnod arall yn hanes y blaid efo arweinydd 40 oed. Tua'r un oed â'm plant!

Cefais fy ngeni yn ngwres ymgyrch yr etholiad a gynhaliwyd yn Nhachwedd 14, 1935. Tair wythnos oed oeddwn i ond rhaid fod ysbryd yr ymgyrchu wedi mynd i 'ngwaed i! Rwyf wedi byw trwy gyfnod o naw arweinydd – Sinclair, Clement Davies, Grimond, Thorpe, Steel, Ashdown, Kennedy, Campbell a heddiw Clegg. Nick Clegg sydd wedi'n harwain i lywodraethu.

Hwyrach y bydd o ryw werth i mi gynnwys nifer yr aelodau seneddol Rhyddfrydol, efo enw'r arweinydd a blwyddyn yr etholiad:

Etholiad 1945 (Sinclair)	12 aelod; 6 o Gymru
1950 (Clement Davies)	9 aelod; 5 o Gymru
1951 (Clement Davies)	6 aelod; 3 o Gymru
1955 (Clement Davies)	6 aelod; 3 o Gymru
1959 (Grimond)	6 aelod; 2 o Gymru
1964 (Grimond)	9 aelod; 2 o Gymru
1966 Grimond)	12 aelod; 1 o Gymru
1970 (Thorpe)	6 aelod; 1 o Gymru

1974 (Chwefror) (Thorpe)	14 aelod; 2 o Gymru
1974 (Hydref) (Thorpe)	13 aelod; 2 o Gymru
1979 (Steel)	11 aelod; 1 o Gymru
1983 (Steel)	23 aelod; 2 o Gymru
1987 (Steel)	22 aelod; 3 o Gymru
1992 (Ashdown)	20 aelod; 1 o Gymru
1997 (Ashdown)	46 aelod; 2 o Gymru
2001 (Kennedy)	52 aelod; 2 o Gymru
2005 (Kennedy)	62 aelod; 4 o Gymru
2010 (Clegg)	57 aelod; 3 o Gymru

Yng nghyfnod Emlyn Hooson yn y chwedegau sefydlwyd Plaid Ryddfrydol Cymru. Cyn hynny dau ffederasiwn oedd yn bod, un i'r gogledd a'r llall i'r de. Yng nghyfnod LL.G. yn aml roedd gwahanol farn rhwng y gogledd a'r de, efo David Alfred Thomas, A.S. Merthyr Tudful yn gryf dros y de! Ond braidd yn ddiymadferth oedd yr unedau hyn erbyn y chwedegau.

Un o'r mannau trafod cynnar oedd yr Ysgolion Preswyl a gynhelid ym Mhantyfedwen ger Aberystwyth. Gan mai Emlyn oedd yr unig A.S. Rhyddfrydol yng Nghymru y fo a ddewiswyd yn arweinydd. Yn 1974 enillodd Geraint Howells sedd Ceredigion a phan gollwyd sedd Trefaldwyn yn 1979, am un tymor yn unig i'r Ceidwadwyr, Geraint Howells, yr unig un ar ôl, a ddewisiwyd yn arweinydd. Dilynwyd ef gan Alex Carlile a enillodd Drefaldwyn yn 1983. Aeth yntau i dresi'r arweinyddiaeth yn 1992. Richard Livsey, aelod Brycheiniog a Maesyfed, a oedd wedi ennill is-etholiad yno yn 1985, a ddilynodd fel arweinydd yn

1997. Roedd y rhain, bob un, â'u rhinweddau gwahanol. Clem, Emlyn ac Alex yn fargyfreithwyr blaenllaw, Geraint a Richard yn dod o gefndir amaethyddol.

Pan gyhoeddodd Alex ei fod am beidio ag ymladd etholiad 1997 dwi'n cofio cyfarfod arbennig yn y Drenewydd i ddewis ymgeisydd seneddol yn ei le dros Sir Drefaldwyn. O un bleidlais enillodd Lembit Öpik. Etholwyd Mike Bates, yr un a gollodd o'r un bleidlais honno, yn aelod y Cynulliad dros ei sir. Yn drydydd teg roedd fy mab Gareth! Roedd Sir Drefaldwyn am ddal yn y gorlan Ryddfrydol. Mewn amser penodwyd Lembit yn arweinydd ac ar ei ôl unwyd arweinyddiaeth y Cynulliad a San Steffan dan Michael German A.C. Roedd Lembit a Meic German yn weithwyr caled dros Ryddfrydiaeth a than arweiniad Meic German aethpwyd â'r Democratiaid Rhyddfrydol mewn clymblaid efo Llafur i lywodraethu yn y Cynulliad yng Nghaerdydd. Roger Williams, A.S. Brycheiniog a Maesyfed, yw cadeirydd y grŵp yn San Steffan.

Yn 2008 etholwyd Kirsty Williams, aelod yn y Cynulliad dros Frycheiniog a Maesyfed, yn arweinydd Democratiaid Rhyddfrydol Cymru. Efo Nick Clegg yn Llundain a Kirsty yng Nghaerdydd daeth gwanwyn newydd i hen blaid Lloyd George.

Pennod 10

Capel Toronto

Yn 1964 roedd Côr Croeso Cymry America yn canu ym Metws-yn-Rhos, ger Abergele. Llond bws o Gymry Gogledd America yn cael croeso'r pentrefwyr. Ymhlith y cantorion roedd nifer o Salt Lake City, Mormoniaid o dras Gymreig. Tuag 1860 aeth yn agos i gant o Gymry drosodd i Salt Lake City, prifddinas y Mormoniaid. Arweinydd y Cymry oedd John Parry o Drelawnyd ac Abergele. Roedd John Parry yn gerddor o safon ac wrth deithio ar draws cyfandir gogledd America daeth y Cymry yn gôr a swynodd Formoniaid o Norwy oedd yn cyd-deithio â nhw. Fin nos ar ôl diwrnod o deithio caled roedd y canu yn codi ysbryd pob un o'r teithwyr. Wedi cyrraedd Salt Lake City, dan arweiniad John Parry, sefydlwyd y côr, sydd erbyn heddiw ymhlith corau mwyaf enwog y byd, y 'Mormon Tabernacle Choir'.

Pan ddaeth rhai o ddisgynyddion y Mormoniaid Cymraeg cyntaf i Fetws-yn-Rhos braf oedd cael sgwrsio a chael dipyn o'u hanes. Ond erbyn hyn roedd Cymry o draddodiadau eraill yn rhan o Gôr Croeso Cymry Gogledd America ac yn eu plith aelodau o Gapel Presbyteraidd

Cymraeg, Valencia Street, Los Angeles. Cefais ar ddeall bod y gweindog, y Dr Parry Jones, wedi marw a'u bod yn chwilio am olynydd iddo. Y peth nesaf oedd llythyr a galwad ffôn o Los Angeles yn fy ngwadd i fynd drosodd a gweinidogaethu yno.

Dyna demtasiwn! Cynigwyd 8,000 o ddoleri'r flwyddyn a chefais alwad ffôn arall yn fy nhemtio'n bellach – roedd nifer o ymgymerwyr angladdau y cylch o dras Gymreig ac yn sicr y cawn 8,000 o ddoleri'r flwyddyn yn ychwanegol drwy weinyddu mewn angladdau! Ar y pryd, rhyw £1000 y flwyddyn oedd cyflog gweinidog Wesle a byddai'r cyfle yn Los Angeles yn rhoi wyth gwaith hynny i mi! Hefyd, wrth gwrs, roedd y cyfle i wneud gwaith dipyn yn wahanol; clywais am y 'Crystal Cathedral' ac addoldai anferth tebyg. A oedd dyfodol i ni fel teulu yno? Do, fe feddyliais a thrafod a gweddïo. A ddylwn i dderbyn gwahoddiad yr eglwys Gymraeg? Yr ateb clir a phendant oedd 'aros lle yr wyt ti'.

Aeth y blynyddoedd heibio; bu farw fy mhriod, a chyrhaeddais fyd y pensiynwyr. Ymddeol? Wel, roedd y diwrnod cyntaf yn braf, ond ni'm bwriadwyd i fywyd cyfforddus ymddeoliad a daeth gair o Eglwys Dewi Sant yn Toronto yn estyn gwahoddiad i mi bregethu yno tra'n ymweld â Gogledd America. Nid oedd y bobl yn gwbl ddieithr: roeddwn wedi cyfarfod rhai ohonynt y flwyddyn flaenorol pan oeddwn yn pregethu yn San Hose yng Ngŵyl Cymry Gogledd America.

Cefais groeso cynnes iawn ar yr ymweliad cyntaf hwn â Toronto. Hefina Phillips yn fy nghyfarfod oddi ar yr awyren; aros efo Ross a Betty Cullingworth oedd mor weithgar yn yr eglwys. Roedd Betty o deulu chwarelwyr Blaenau Ffestiniog. Cyfarfod â Wanda Sweet, yr ysgrifenyddes a Dr Murray Black yr organydd. Bore dydd Mawrth oedd bore trefnu oedfaon y Sul a chefais amser hapus dros ben gyda'r ddau yn trefnu'r gerddoriaeth a thaflenni'r oedfa.

Roeddwn wedi cyfarfod Geraint a Lyn Jones yn gynharach ac yn adnabod tad Geraint, y Parch. J.W.Jones, Degannwy, ac wedi bod yn gyfeillion ers llawer blwyddyn. Roedd dau o'r cyn-weinidogion, y Parch. Heddwyn Williams a Dr Cerwyn Davies yn eithriadol o gefnogol. Cefais groeso aelodau a chyfeillion yr eglwys fel croeso teulu agos. Daeth gwahoddiad i fynd yn weinidog dros dro yno. Petawn i ddeng mlynedd yn ieuengach byddai'r cyfle o weinidogaethu dros dymor o flynyddoedd wedi apelio'n fawr.

Y Sul cyntaf ym mis Hydref 2003 dechreuais ar un o'r cyfnodau mwyaf dedwydd yn fy holl weinidogaeth. Y gred oedd bod angen gweinidog i roi gwên unwaith eto ar wynebau'r aelodau ac i adfer yr hyder yno. O fewn mis roeddem wedi derbyn 14 o aelodau newydd a'r gynulleidfa'n cynyddu efo dros gant yn aml ar fore Sul i'r oedfa Saesneg,(efo rhyw un emyn Cymraeg) a thynnu at hanner cant yn yr oedfa Gymraeg bob nos Sul cyntaf o'r mis.

Roedd yr ochr gymdeithasol yn eithriadol o bwysig. Pobl yn teithio milltiroedd i ddod i'r capel ac yn falch o gwmni a sgwrs nid yn unig ar ôl yr oedfa ond, hefyd, o'i blaen. Drws nesa roedd cangen McDonald's ac yno am rhyw awr cyn yr oedfa roedd y baned a'r chwerthin yn ddechrau da i addoliad y Sul.

Roedd swyddogion abl iawn yn Eglwys Dewi Sant, llawn syniadau a gweithgarwch ac yn gwerthfawrogi addoliad a phregeth.

Deuai gweithgor o dros ddwsin o ieuenctid at ei gilydd bob wythnos i drafod sut i gyrraedd rhai o'r 45,000 o bobl o gefndir Cymreig oedd yn byw yn nghylch Toronto. Credaf mai dyma'r nifer fwyaf o Gymry "ex-pats" yn y byd!

Rhaid oedd trio cyrraedd y bobl hyn a gadael iddynt wybod am fodolaeth Capel Dewi Sant. I lawr â mi i ganol y ddinas i drafod a chwmnïau teledu a radio gan ddisgwyl rhyw gyfweliad pum munud i sôn am fywyd Cymraeg Toronto. Yn lle hynny cafwyd cyfres o ddarllediadau teledu a dwi'n diolch yn arbennig i Dr Murray Black a Meriel Simpson am wneud hynny'n bosibl.

Maen nhw'n dweud mai Yonge Street, Toronto yw'r stryd hiraf yn y byd! Ym mis Chwefror 2003, yng nghanol yr eira, cerddais o siop i siop ac o westy i westy i'w perswadio i chwifio'r Ddraig Goch dros wythnos Gŵyl Dewi.

Gosodwyd dwy faner – Canada a Chymru – i chwifio drwy'r flwyddyn y tu allan i'r capel. Caed stondin am wythnos yn yr Eton Centre, canolfan siopa enfawr, i hybu'r achos Cymraeg ac mewn cysylltiad â Chymry eraill cinio-banquet- i bron i 300 i ddathlu'r ŵyl. Credwn ar y pryd mai dyma'r Cinio Gŵyl Dewi mwyaf yn y byd nes i mi glywed fod 320 yn y Savoy yn Llundain – dwi'n amau bod pobl Llundain yn cyfri'r 'waiters'!

Dewi Sant Toronto yw'r eglwys Gymraeg fwyaf y tu allan i Gymru efo tua 300 o aelodau. Unwaith yng ngogledd America roedd 600 o gapeli Cymraeg, a henaduriaethau o weinidogion. Erbyn heddiw gweinidog Toronto yw'r unig un llawn amser yn y cyfandir cyfan.

Sefydlwyd Ysgol Sul Gymraeg yn 1907 dan arweiniad William Thomas o Lanrwst a John Roberts o Ynys Môn. Erbyn 1916 roeddent yn ddigon mentrus i rentu capel gwag yn Clinton Street, Toronto. Ac yn 1963 symudwyd i'r capel hyfryd a modern ar Melrose Avenue. Syndod i mi oedd edrych ar y gofeb o'r Rhyfel Byd Cyntaf yng nghyntedd Dewi Sant ac enwau pum deg naw o aelodau ifanc oedd wedi ymuno â'r fyddin ac wedi ymladd yn Ewrop – dyna nerth yr achos Cymraeg newydd yma yn Toronto.

Heddiw mae eglwys fyw a gweithgar, cylch ieuenctid sy'n llawn brwdfrydedd, cylch merched, cinio misol i aelodau hyna'r eglwys, côr merched – Merched Dewi, Ysgol Sul ac oedfaon sy'n tynnu'r gorau o bregethwr. Yma mae man cyfarfod Côr Meibion Cymry Toronto a Chymdeithas Dewi Sant dan arweiniad Myfanwy Bajaj. Gallwn gyflwyno ugeiniau o enwau aelodau a swyddogion sy'n haeddu eu croniclo a rhyw ddiwrnod rhaid gwneud hynny ond, fel llawer rhestr arall byddwn yn sicr o fethu â chynnwys pawb.

Yn ninas Toronto ei hun mae 160 o unedau ethnig gwahanol a dim drwgdeimlad o gwbl rhyngddynt. Mae ysbryd arbennig o gyfeillgar yn y ddinas a'r cylch. Yr unig gŵyn yw'r oerni! Un diwrnod derbyniais e-bost o Gymru; "Roger, mae'n oer yma" meddai'r neges, "mae'n minus three". Yn Toronto roedd hi'n "minus 35!" Ond dinas ar ddwy lefel yw Toronto a than y ddaear mae rhwydwaith o strydoedd efo theatrau, siopau a gwestai lle nad oes rhaid poeni am dywydd.

Mewn sgwrs â'r Maer, David Miller soniais am fy mreuddwyd y byddai un wlad neu ddinas yn batrwm heddwch a chytgord i weddill y byd. "We must make that Toronto" meddai.

Ie, profiad arbennig iawn oedd gweindogaethu yno ac mae atgofion diddiwedd am y chwe mis y bûm yno ac rwyf yn dal i gadw mewn cysylltiad â llawer ohonynt. Cofio'n dda am yr wythnos olaf yno cyn i mi droi am adref. Wythnos y Pasg oedd hi. Ar Sul y Blodau croesawyd Côr o dde Cymru, y pnawn Mawrth roedd cinio a dathlu i'r aelodau hynaf yn yr eglwys; bore Gwener Oedfa y Groglith a chinio wedyn. Yna, â'r capel yn llawn, mwynhau Cymanfa Ganu arbennig. Ar Sul y Pasg daeth pawb â blodyn i'w osod ar groes wag, yn symbol o'r Iesu atgyfodedig. Tua chant a hanner o aelodau a chyfeillion yn cerdded ymlaen, a phob un yn rhoi ei flodyn ar y groes. Cludwyd y Groes a'i gosod ar y lawnt o flaen y Capel fel tystiolaeth i'r ardal o'n ffydd yn yr Atgyfodiad.

Ar ôl pregethu a gweinyddu'r Cymun, cinio eto wedi ei baratoi gan y merched a minnau'n ffarwelio ag eglwys y bu'n fraint cael bod am ychydig yn weinidog arni.

Tra yn Toronto daeth galwad ffôn yn cynnig lle yn Nhŷ'r Arglwyddi i mi. Doedd dim ymddeoliad i fod. Diolch am hynny!

Ar fy ymadawiad o Toronto:

ODE TO ROGER
GAN Y PARCH. Ddr. R. CERWYN DAVIES

He came here from Gwalia some six months ago,
Descended upon us – a live dynamo!
He charged us with newness of life in no time,
And members in church every Sunday did climb!

We'd suffered the doldrums, and almost lost heart,
Along then came Roger to give a kick start;
He placed right before us a series of goals,
And shook all the cobwebs from each of our souls!

He taught us that laughter is healthy and just,
And joy in the worship is an absolute must!
When preaching the gospel, he brought the 'good news'
And smiles were a-spreading from all those hard pews!

Our service will soon be on Vision TV,
A master stroke 'vision' of Roger. Agree?
And later we hope, on S Pedwar EC
On Cymru TV screens, tell friends there to check.

From renting out floor space in Eatons downtown,
From flagpoles and street signs, he's so well renown!
He rode on the subway, he walked every street
In hopes there to find new members to greet!

This 'part-time' young fella has worked double shift
Whilst toiling so hard to give us a lift!
His joints and his bones they never will rust,
When Roger gets going, look out for the dust!

McDonald's will miss him on Sundays, you bet;
He walked through the snowdrifts, his teabag to get,
And being a preacher, he could not recant,
Invited the Muslims to his Dewi Sant!

When everything else is all said and done,
Our praises of Roger will just have begun,
We're grateful for all that his vision did span,
But mostly we're grateful for Roger, the man.

Pennod 11

"Cofiwch fi at bawb ar Broadway"

Methais â chyrraedd Hollywood (hyd yma!) ond er nad oedd fy enw mewn goleuadau cefais ymddangos ar Broadway yn Efrog Newydd! Yno mae Eglwys Rutgers, cartref yr eglwys Gymraeg, ac yno cefais gyfle i gynnal Cyfarfod Pregethu. Un peth a dynnodd fy sylw oedd y poster a ddywedai 'This church has no walls, only enough to hold the roof up!' Amser difyr yng nghwmni Cymry Efrog Newydd.

Bu'r llwyfan a'r pulpud yn go agos yng Nghymru. Ganrif a mwy yn ôl doedd neb gwell am awr ddramatig na rhai o gewri'r pulpud. Arwr pob Wesle oedd y Parch. John Evans, Eglwys-bach. Un o feibion Dyffryn Conwy a ddringodd i weinidogaethu ym mhrif bulpudau pob enwad. Cyngor John Evans, 'y seraff bregethwr', i bregeth-wyr ifanc pan fyddent yn llefaru oedd: "Start low, climb higher, when most possessed take fire!" Yn ei bregeth ar y 'Mab Hynaf' mae'n disgrifio'r mab yn gweld yr holl oleuadau yn nhŷ ei dad a chlywed y dathlu a miwsig y dawnsio. Dyna fo'n holi'r gwas beth oedd yn digwydd a chael yr ateb, "Dy frawd a ddaeth." Holi'r gwas eto, "Ydi 'nhad yn gwybod am hyn?" Bloeddiwyd yr ateb, "Efe a ordrodd y band!"

Un o steil gwahanol oedd y Parch. Garrett Roberts, yn enedigol o Lanrwst o'r un dyffryn â John Evans (a minnau, yn eu cysgod, yn falch o fod yn 'rooster') ac mae sôn amdano yn llenwi'r capeli â'i bregethau dramatig. Mae'n mynd i lawr o'r pulpud i chwilio am y ddafad golledig neu'n galw ar y tri llanc yn ffwrn dân Daniel i ddod allan o'r fflamau. Mewn un Cyfarfod Pregethu roedd Garrett yn cyd-bregethu ac yn rhannu'r cyfarfod ag un arall o arwyr y pulpud. Garrett oedd y pregethwr cyntaf a'r bregeth oedd yr un a lefarwyd ganddo yn barod ugeiniau o weithiau – y tri llanc yn y ffwrn dân. Roedd Garrett braidd yn hir a bu'n rhaid iddo gyfaddef, "Mae'n ddrwg gennyf, mae'n rhaid i ni adael y tri llanc yn y tân," a'i gyd-bregethwr yn torri ar ei draws, "Paid â phoeni, Garrett bach, maen nhw wedi dod ohono mor aml fe fyddan nhw'n siŵr o wybod eu ffordd eu hunain!"

Cefais innau flas ar y dramatig. Pan oeddwn yn hogyn ysgol daeth cyfle i berfformio yn Awr y Plant ar y BBC. Cael fy ngalw i ragbrawf ac yno darllen o sgript ac ar ôl hynny adrodd 'Llongau Madog' mewn gwahanol arddulliau – bachgen swil, meddwyn, ficer a phregethwr dramatig. Dyna ddechrau cymryd rhan mewn nifer o raglenni. Daeth y cyfle cyntaf am fod bachgen arall wedi ei gymryd yn wael. Cefais fy rhuthro i Fangor i actio yn y gyfres 'Mynd i'r Sw' efo Charles Williams, Nel Hogkins ac Ieuan Rhys Williams. Roeddwn yn swp sâl o flaen y meicroffon. Ar ôl hynny, cymerais ran mewn rhaglenni gryn hanner can gwaith – cyn i'r llais dorri!

Cyfres nodedig arall oedd 'Bandit yr Andes' gan R. Bryn

Williams ac ambell ddrama radio Saesneg. Fel arfer Evelyn Williams oedd y cynhyrchydd. Roedd y daith ar y bws o Landudno i Fangor yn gyfle i ddysgu'r sgript ac weithiau byddai rhai o'r actorion ifanc eraill yn cyd-deithio ac yn ennill y ffi anrhydeddus o gini a hanner (un bunt 57 ceiniog).

Ar yr un pryd cefais waith yn ystod gwyliau'r haf yn y Grand Theatre, Llandudno efo cwmni drama Marie Hobbs. Dirprwy Reolwr Llwyfan oeddwn i am gyflog o ryw ddeg swllt ar hugain yr wythnos. Rhannau bach mewn ambell ddrama, *When Knights were Bold* neu *A run for your money*. Cofiaf un poster yn cyhoeddi'r gomedi *Queen Elizabeth Slept Here* a'r hyn a argraffwyd oedd 'Queen Elizabeth Slept here with Bruce Gordon and full supporting company'! Roeddwn i yn un o'r cwmni hwnnw.

Cefais ymuno â chwmni eithaf enwog Morris Jones, Cwmni Garthewin. Y tymor hwnnw 'Nos Ystwyll' oedd y ddrama a chawsom berfformio yn yr Eisteddfod Genedlaethol. Mentro hefyd efo cwmni cyngerdd o bobl ifanc – *stage-struck* yn wir. Y tro olaf i mi gymryd rhan mewn drama oedd deng mlynedd ar hugain yn ôl, fel milwr Rhufeinig yn *A Night on the Hill* gan eglwysi Methodistaidd cylch Llandudno. Mrs Doris Jones wedi gwneud iwnifform i mi a finnau'n teimlo'n grand er mai colandr cegin alwminiwm oedd ar fy mhen – dim rhyfedd i'r gynulleidfa wenu. Dyna ddiwedd ar fy ngyrfa thesbiaidd!

Ond beth am Hollywood? Roedd yr annwyl Sam Jones

Ymgyrchu ym Môn – 1959

David Owen a David Steel yn fy nghefnogi

Ymgyrchu hefo Paddy Ashdown

Cefnogaeth Shirley Williams a'r Cynghorydd Bob Owen, Llandudno

Simon Hughes, Christine Humphreys a minnau

Ymgyrchu ym Mynydd Llandegai

Muriel Bevan, Cadeirydd Merched Rhyddfrydol Llandudno yn caniatáu
gosod poster yn yr ardd

Arwyn Evans, Jennie Knowles, Eirlys a Jim Knowles yn rhannu canlyniad etholiad – dim ond 995 pleidlais yn fyr! (Jim a Jennie oedd Maer a Maeres Aberconwy ar y pryd)

Trafod mewn siop yn Nyffryn Ogwen

Gorymdeithio yn erbyn Rhyfel Irac, 15 Chwefror, 2003

Parchedig W. O. Jones, Llandudno a minnau hefo'r
Ambiwlans a aeth i Ethiopia

Capel Dewi Sant, Toronto

Plan y Gylchdaith hefo
lluniau rhai o'r
cyn-weinidogion

Plan y Gylchdaith
(y clawr gan
Francis Lloyd)

Cyfarfod Cylchdaith Dyffryn Conwy ym 1970

Hefo teulu a chyfeillion – Mehefin 2005 – diwrnod fy nghyflwyno i Dŷ'r Arglwyddi

The Rev The Lord Roberts of Llandudno

Introduced to the House of Lords
30th June 2004

His Sponsors
The Lord Hooson, QC of Montgomery
and of Colomendy
The Lord Livsey of Talgarth

ROYAL MAIL LONDON SW
30 JUN '04

1ST
Rhaeadrau, Pumlumon, Cymru
Waterfalls, Plynlimon, Wales

Amlen arbennig y cyflwyno

Sam, Margaret, Janet a minnau

Fy mhlant, Gareth, Sian a Rhian

Rhai o'r teulu

Aidan, Reuben, Ianto, Osian a Haf – fy wyrion a fy wyres

Megan a Manon – fy wyresau

yn y BBC, Bangor yn chwilio am fachgen i gymryd rhan mewn ffilm a dyma fi'n cael llythyr i fynd i ragbrawf. Roedd pawb yn tŷ ni'n ecseited a bron yn sôn am bacio a mynd fel teulu i'r Unol Daleithiau ac ymgartrefu yn Hollywood! Dwi ddim yn siŵr nad oedd Mam wedi prynu het newydd ar gyfer y daith! Ond nid oedd y fath daith i fod – roeddwn yn rhy dal (medden nhw) i'r cymeriad, er na fûm i erioed yn dal iawn. Os na chefais fynd i Hollywood cyrhaeddais Broadway, Efrog Newydd. Mwynhau? Wrth gwrs ond gwrido wrth i mi gael fy nghyflwyno fel hyn: "And today our guest preacher is Dr (!) Roberts from Wales, a fine and effective preacher, a man of great wit and charm and an outstanding theologian." Yr unig dro yn fy oes i neb feddwl amdanaf fel 'Theologian' o unrhyw fath heb sôn am 'outstanding'! Ond nid oes rhaid i Awstin, John Wesley, Bonhoeffer na'r un o'r lleill golli eiliad o gwsg. 'Give my regards to Broadway!'

Am rai blynyddoedd wedi i'r llais newid, ar wahân i ddarlledu ambell oedfa radio, roeddwn yn eithaf dieithr i'r cyfryngau. Pan ddechreuais wleidydda fel ymgeisydd ac fel llywydd y Rhyddfrydwyr yng Nghymru, daeth cyfle newydd mewn cyfweliadau a rhaglenni fel 'Pawb a'i Farn'. Yn aml, teimlaf yn gwbl anfodlon ar fy nghyfraniad, ac fel arfer fy mai i yw hynny. Ni chefais erioed gam na holi annheg gan gyflwynwyr fel Gwilym Owen, Dewi Llwyd, John Stevenson, Dylan Jones, Aled ap Dafydd a'u tebyg. Yn wir, fel mae eraill hefyd yn tystio'n aml, gorganmol oedd yr holwyr. Nid oeddwn yn haeddu'r "Ffantastig" ar ôl cyfweliad digon tila! Ond diolch yr un pryd. Dim ond un, a hwnnw ddim yn Gymro, oedd, mi dybiaf, am ein baglu'n fwriadol.

Ar 'Pawb a'i Farn' mae cyfle nid yn unig i'r panelwyr (ac mae rhai ohonyn nhw'n anodd torri ar eu traws) ond i'r gynulleidfa gymryd rhan ac, yn aml, mae rhai o'r ieuangaf yn disgleirio mewn ffordd arbennig. Ond y profiad rhyfeddaf oedd y rhifyn ddyddiau cyn etholiad Ewrob 2009. Yn y gynulleidfa roedd dau gynrychiolydd y BNP ac roedd tri o'r panel yn gwrthod mynd ymlaen â'r rhaglen oherwydd hynny. Dwi'n casáu safbwynt y BNP ond roedd y rhaglen yn gyfle i gyflwyno safbwynt cwbl wahanol fy mhlaid (a'm ffydd) fy hun. Bum munud cyn y darlledu dim ond Dewi Llwyd a minnau oedd yn barod i fynd ymlaen â'r rhaglen. Dyna argyfwng. Byddwn yn banel o un! Rhywsut, llwyddodd Geraint Lewis Jones, megis Solomon, i ddatrys y broblem a darlledwyd y rhaglen ac ni chawsom, wedi'r cwbl, drafferth efo'r BNP. Unwaith yn unig y digwyddodd peth felly. Erbyn hyn mae arweinydd y BNP wedi ymddangos ar 'Question Time' y BBC. Gallaf ddeall diflastod pob un o'r panel a'n holwr.

Yr unig gyfle heddiw i holi pleidiau ac ymgeiswyr yw drwy raglenni radio a theledu. Dyna lle y gwelir colli'r cyfarfodydd cyhoeddus. Yn fy etholiad cyntaf cynhaliwyd dros ddeugain o'r rhain; erbyn heddiw, eithriad yw cael cyfarfod o gwbl a'r cyfle i wrando ac i holi ymgeiswyr. Weithiau trefnir Seiat Holi gan Undeb Ffermwyr neu Gyngor Eglwysi ond, yr hyn nad yw ar gael yn aml, ac mae angen gwirioneddol amdano, yw cadeirydd cryf i gadw trefn a thegwch a mynd drwy'r agenda'n daclus.

Am rai blynyddoedd bûm yn darlledu 'Pause for Thought' ar BBC Radio 2. Ceisio, mewn llai na phedwar munud, gyflwyno neges o werth. Tipyn o sialens ac rwy'n edmygu'n fawr y rhai sy'n llwyddo i wneud hynny, rhai fel Lionel Blue sydd wedi hen feistroli'r grefft. Weithiau roedd y gwrandawyr yn anfon llythyrau ynglŷn â'r cynnwys. Ar ôl colli Eirlys, mae'n amlwg i'r emosiwn a'r genadwri daro nodyn efo ambell un a, gobeithio, bod o gymorth i eraill mewn gwaeledd neu brofedigaeth.

Tua'r un adeg cefais gyfle o bryd i'w gilydd i ddweud gair ben bore am gynnwys papurau newydd. Cyrraedd Bangor ychydig cyn chwech o'r gloch, casglu papurau newydd y BBC o'r siop ac eistedd am ryw awr yn pori a dewis eitemau i sôn amdanyn nhw. Gorchwyl arall i arbenigwyr!

Un o'r breintiau tebyg oedd cadeirio Papur Llafar Aberconwy, y papur a'r cylchgrawn ar dâp i rai â nam ar eu golwg. Mae gwirfoddolwyr fel y diweddar John Edwards, Bernie Rish a David Schilling wedi cyflawni gwaith arbennig, a miloedd, dros y blynyddoedd, wedi cael bendith arbennig o'r tapiau yma.

Yn awr, pa le mwy dramatig na Thŷ'r Arglwyddi? Mae'r seremonïau traddodiadol yn basiant ynddynt eu hunain .

Pennod 12

John Bull ac Adana

Pe na bawn yn weinidog mae'n debyg mai mynd i fyd argraffu a chyhoeddi y buaswn i wedi'i wneud. Un o'r anrhegion gorau a gefais pan oeddwn yn blentyn oedd set argraffu syml 'John Bull Printing Outfit' ac wedyn peiriant argraffu Adana, er na ddeallais sut i'w ddefnyddio'n iawn. Un o'm gwendidau yw peidio â darllen y 'Manual' – unrhyw faniwal!

Am ein bod yn byw yng Nghonwy roedd y cei o fewn tri munud i'n cartref yn 12 Llewelyn Street ac ar y cei roedd gweithdy argraffu R. E. Jones. Roeddwn ar ben fy nigon yn gwylio'r cysodwyr a'r peirianwyr wrth eu gwaith. Y diwrnod prysuraf oedd dydd Mercher a hwythau'n gweithio ar y *North Wales Weekly News* oedd yn cael ei gyhoeddi ar ddydd Iau.

Efo peiriant *Linotype* y cysodid y gwaith pryd hynny. Er i hwnnw fod yn wyrth o'i gymharu â fy Adana i, pan oedd yn rhaid gosod pob llythyren yn unigol yn ei lle. Bellach aeth y peiriannau *Linotype* yn hen ffasiwn yn yr oes ddigidol hon.

Ymhen amser symudwyd yr holl weithdy o gei Conwy i Gyffordd Llandudno. Erbyn heddiw does dim argraffu yno, dim ond ochr olygyddol y *Daily Post* a phapurau'r cwmni sydd biau'r *Weekly News*. Trist yw gorfod cofnodi fod ardal a fu unwaith â nifer o bapurau lleol erbyn hyn wedi colli'r rhan fwyaf ohonynt. Diflannodd y *Llandudno Advertiser*, y *Llandudno Circular* a'r *Conwy Free Press*.

Sut bynnag, mynd i'r weinidogaeth a wneuthum. Fel Gweinidog Wesle, un o dasgau mwyaf y flwyddyn oedd gwneud y 'Plan'. Âi'r drefn yn ôl i gyfnod John Wesley ei hun. Argreffid trefn y gwasanaethau yn y gwahanol eglwysi am y tri mis nesaf. Plan Chwarterol ar gyfer tri mis oedd gan y Wesleaid! Y Cyfarfod Chwarter oedd prif gyfarfod trefnu pob cylchdaith a chyhoeddid rhestr y pregethwyr a'u cyhoeddiadau yn y gwahanol gapeli am Suliau'r tri mis oedd i ddod. Pan oedd digon o weinidogion a phregethwyr lleyg gwaith eithaf hawdd oedd hynny. Rwy'n cofio'r 'staff' o bum gweinidog yn cyfarfod yn wythnosol pan oedd Meilir Pennant Lewis yn Arolygwr ar Gylchdaith Dyffryn Conwy. Dim ond rhyw Sul neu ddau oedd yn cael ei drefnu mewn bore! Ond yn y diwedd cyflwynai Meilir 'fair copy' yn ei ysgrifen ei hun i'r cyfarfod a chytunid arno. Gwaith eithaf hamddenol oedd gwneud Plan y pryd hynny.

Ymhen blynyddoedd, y fi fel Arolygwr, ar fy mhen fy hun a wnâi'r Plan, ar ôl trafod ar y ffôn a chysylltu â nifer o bregethwyr. Wedyn byddwn yn anfon y drafft cyntaf i rai fel Joe Haines Davies i gael ei newid a'i wella ganddynt hwy. Dyna oedd fy mhrif waith yn ystod misoedd Gorffennaf ac Awst a thrwy ryw wyrth roedd tudalen o bapur glân yn dod yn drefn blwyddyn. Erbyn heddiw

daeth yn arferiad i ddilyn patrwm y Methodistiaid Cal-
finaidd a chyhoeddi llyfryn blynyddol. Nid oedd rhaid
cario'r cyfrifoldeb wedyn o drefnu o chwarter i chwarter –
tipyn o hunllef oedd hwnnw. Gwell gennyf gael cyflawni
gwaith yr holl flwyddyn ar yr un pryd.

Efo help arbennig Frances Lloyd, Maenan, artist o fri,
cafwyd clawr lliwgar bob blwyddyn i Blan Cylchdaith
Dyffryn Conwy. Roedd y clawr yn rhagori ar y cynnwys!
Mawr yw'n diolch iddi. Rwy'n sicr mai Plan Cylchdaith
Dyffryn Conwy yw'r harddaf yn y Cyfundeb! Yn ei glawr
beth bynnag!

Ymhell cyn i mi fod yn gyfrifol am y Plan roedd paratoi
llawlyfrau i Gyfarfod Taleithiol yr Eglwys Fethodistaidd
neu'r Gymanfa Gymraeg yn her ac yn gyfle. Ar Gylchdaith
Dyffryn Conwy ailsefydlwyd y 'Cyhoeddwr' fel cylch-
grawn chwarterol yn adrodd pytiau o'r eglwysi a'r Gylch-
daith. Bu'n llwyddiant am ychydig flynyddoedd.

Daeth y cyfle mawr pan oeddwn yn ymgeisydd sen-
eddol a thoreth o bamffledi yn cael eu cyhoeddi.

Yn 1979 rhaid oedd trefnu llenyddiaeth i gynghorau
lleol, y refferendwm cyntaf ar ddatganoli, etholiad
cyffredinol ac etholiad Ewropeaidd – tua chant o daflenni
gwahanol. Marathon! Tipyn o sialens oedd casglu deunydd
i bapurau tabloid yr etholaeth ond dyna oedd un ffordd i
blaid geisio cael etholwyr i ddarllen ei neges. Cyhoeddwyd
ambell rifyn o'r *North Wales Leader*, tabloid Rhyddfrydol
etholaeth Conwy.

Ysgrifennais ryw bum llyfryn. Y cyntaf oedd llawlyfr
dirwest, *Iechyd Da*, efo enwogion fel Dr Tegla Davies ac

Ysgrifennydd cyntaf Cymru, James Griffiths, yn cyfrannu. Pan fu dathlu hanner canmlwyddiant yr Eglwys Saesneg yn Llangollen, yn sicr un o'r eglwysi prydferthaf, cyhoeddwyd hanes yr eglwys.

Bu cryn waith ar *Ebeneser – a story of Llandudno and one of its churches* a gyhoeddwyd yn 1972 pan oedd ein hamser yn yr hen gapel Ebeneser yn Lloyd Street yn dod i ben. Naw deg naw o flynyddoedd ynghynt arwyddwyd cytundeb â'r Arglwydd Mostyn i adeiladu'r capel Cymraeg yn Lloyd Street, Llandudno. Dywedwyd ar y pryd i'r 'Wesleyan Estate' fod yn hwylus ar gyfer y boblogaeth ac eto yn ddigon pell (rhyw 60 llath) o'r brif stryd, "so that the sound of the carriage wheels don't drown the voice of the preacher." Heddiw mae'r hen gapel yn dal yn addoldy ac eglwys efengylaidd Emanuel yn addoli yno.

Symudodd ein cynulleidfa i gapel cyn-Bresbyteraidd Rehoboth ar Rodfa Trinity. Wedi sefydlu'r Eglwys Unedig yn 2000 gwerthwyd hwnnw i fod yn 'Egyptian Coptic Church'. Petai'r hen gyfaill a phregethwr cynorthwyol Moses Roberts yn fyw byddai'n rhyfeddu at y symudiad hwn oherwydd, yn aml, roedd yn ei gyflwyno ei hun fel 'Moses o'r Aifft'. Ai dyma Gapel Coffa Moses Roberts?

Cyhoeddwyd *Cipolwg ar hanes Llandudno 2,000* fel rhan o ddathlu'r mileniwm. Llyfryn oedd hwn i blant ysgol. Y rheswm dros ei gyhoeddi oedd fod trefniant i blant ysgolion Llandudno gael Testament Newydd Saesneg i ddathlu'r ganrif newydd. Fy marn i oedd y dylid cael cyhoeddiad yn yr iaith Gymraeg yn rhodd i bob plentyn. Euthum ati i sgwennu'r hanes a'i argraffu.

Yr oeddwn wedi cynnal dosbarthiadau dysgu Cymraeg i oedolion yn Llangollen ac wedi sefydlu'r cwrs Cymraeg cyntaf i Ysgrifenyddion yng Ngholeg Llandrillo. Yn Llangollen, hefyd, roeddwn yn gadeirydd i'r symudiad i sefydlu Ysgol Gymraeg yn yr ardal. Fy mraint, hefyd, oedd cydweithio â Jennie Randerson pan oedd hi'n Weinidog y Cynulliad dros y Gymraeg. Sefydlwyd yr 'Ardaloedd Gweithredu dros y Gymraeg' (Welsh Language Action Areas). Y piti yw i'w thymor ddod i ben cyn i'r gweithgarwch yma gael ei gwblhau. Mae llawer mwy i'w wneud dros yr iaith.

Llyfryn syml oedd *Lloyd George was our member* a ymddangosodd yn 1981 pan ymwelodd y Gynhadledd Ryddfrydol â Llandudno. Dyna'r gynhadledd pryd y penderfynwyd sefydlu'r Cynghrair rhwng yr SDP a'r Rhyddfrydwyr. Cynhadledd wirioneddol hanesyddol.

Un darn o'r hyn a fentrwn ei alw yn rhyw fath o farddoniaeth a ysgrifennais erioed a hwnnw'n adroddiad i blant i eisteddfod Cylchdaith Pwllheli. Roedd hyn yn y cyfnod o hedfan i'r gofod yn nechrau'r chwe degau. John Morris, yr ysgolfeistr yn Aberdaron a gollodd ei fywyd wrth geisio achub plentyn rhag boddi oedd beirniad yr adrodd. Er iddo fod yn gyfaill da i mi ni chlywais air o ganmoliaeth am y darn a diflannodd unrhyw freuddwyd y cawn ymateb i alwad y corn gwlad! Beth fyddai'r Meuryn yn ei ddweud am y pennill cyntaf?

Aeth stori o gwmpas y pentref,
fod plant yr ardal i gyd
am fyned ar wibdaith i'r lleuad
gan edrych i lawr ar y byd.

Oedd yr ail bennill yn well?

Daeth Roced i'n cludo un bore,
William a mi a Jane Ann,
Ac i ffwrdd â ni allan i'r gofod
Ymhell iawn o sŵn cloch y Llan.

Ac am y trydydd? Aeth hwnnw'n angof llwyr!

Byddwn wrth fy modd petawn yn gallu barddoni. Mae'n
debyg fod yn rhaid i chwi gael eich geni â'r ddawn honno!
   Byddaf yn mwynhau eisteddfod. Does dim lle gwell i
gyfarfod hen gyfeillion. Rhaid cyfaddef mai un o'r miloedd
y mae'n well ganddynt droedio'r maes nag eistedd yn y
pafiliwn ydw i.
   A dyma'r ymdrech i ysgrifennu'r llyfryn hwn. Byddwch
drugarog!

Pennod 13

Y Trai

Oedd yna oes euraid yn hanes crefydd yng Nghymru? Yn sicr roedd cyfnod hefo llawer mwy yn mynychu capel ac eglwys. Bu tro ar fyd.

Magwyd ni, y rhai a anwyd cyn rhyfel 1939-45, ar hanesion a phrofiadau hynafiaid oedd yn cofio Diwygiad 1904-05. Ein dyhead oedd am i'r awelon a gyffyrddodd â Chymru y pryd hynny eto gael eu profi yn y wlad. Gweld y capeli'n llawn, gwrando profiadau'r saint, ymateb i alwadau'r Ffydd. Yn wir, yr ymdrech oedd i ailddarganfod y gorffennol.

Heddiw mae rhai capeli, fel arfer y tu allan i'r cyfundebau traddodiadol, yn profi cynnydd ac egni. Yn y dinasoedd mae capeli'n croesawu newydd-ddyfodiaid i Brydain. Miloedd o wlad Pwyl yn gorlenwi ambell eglwys Gatholig ac mewn eglwysi fel Westminster Central Hall ac Wesley's Chapel yn Llundain croesewir cannoedd o addolwyr o wledydd fel Nigeria, Kenya a Jamaica.

Gwahanol iawn yw hanes y mwyafrif o gapeli yng Nghymru. Yr adroddiadau yw o leihad enfawr yn nifer y gweinidogion, prinder arweinwyr ac aelodau ac absenol-deb plant. Mae mwy nag erioed o gapeli ac eglwysi yn cau ac mae hyn yn wir am bob un o'r enwadau traddodiadol.

Onid oedd cyfnod efo deugain o weinidogion Presbyteraidd ym Môn yn unig? Onid ugain mlynedd yn ôl roedd cant a hanner o ysgolion Sul yr Eglwys Fethodistaidd Gymraeg yng Nghymru? A hefyd, ym Mangor, colegau hyfforddi Bedyddwyr, Eglwyswyr ac Annibynwyr ynghyd â charfan gref o Bresbyteriaid?

Pan gychwynnais ar fy nhaith i'r weinidogaeth yn niwedd y pum degau roedd tua mil o aelodau ar hen Gylchdaith Conwy yn cyrraedd o Gyffin i Benmaen efo naw o gapeli, roedd tua tri chant o aelodau ar Gylchdaith Llandudno a thros bedwar cant ar Gylchdaith Llanrwst o Eglwys-bach i Gwm Penmachno. Heddiw, a'r tair cylchdaith wedi uno tua dau gant sydd rhyngddynt yng Nghylchdaith Dyffryn Conwy. Y pryd hynny roedd 19 o gapeli, heddiw deg sydd yn aros ac yn lle saith o weinidogion pedwar rhan amser (gwych er hynny) sy'n cynnal y gylchdaith.

Ni fu cynnwrf mawr, na daeargryn o unrhyw fath dim ond llu o farwolaethau, efo dim ond nifer bychan iawn yn ymaelodi, llawer yn llacio eu gafael a dim digon o swyddogion i ofalu am ambell gapel. Dyna broblem real iawn – methu cael trysorydd neu ysgrifennydd, neb i ofalu am yr adeilad a sicrhau, er enghraifft, bod llechi rhydd ar y to yn cael eu trwsio. Ac eto drwy'r cwbwl, pobl eithriadol yn gwasanaethu, yn aml tu hwnt i bob disgwyliad a'u haelioni ariannol yn fwy nag a welwyd erioed o'r blaen. Mae llawenydd a hwyl a charedigrwydd yn ei gwneud yn fraint i fod yn yr eglwys yn 2010.

Fy nghylchdaith gyntaf oedd Pwllheli, efo wyth o gapeli yn 1957. Y capel mwyaf oedd Seion, Pwllheli ond hyd yn oed y pryd hynny dim ond cynulleidfa o rhwng ugain a hanner cant. Ddim yn fawr o'i gymharu â chapeli eraill y dref fel Penmount a Salem. Byddai'r dref yn llawn o gapelwyr i Sasiwn y Presbyteriaid ac rwy'n cofio gorfod eistedd ar risiau'r galeri er mwyn cael gwrando pregeth. Dyma gyfnod gweindogion a ystyrid yn gewri eu cyfnod, fel Morgan Griffith a Tom Nefyn.

Roedd Gweinidog Wesle Pwllheli yn symud bob pum mlynedd a dyna pryd y deuthum i adnabod Tudor Davies a Maurice Jones, y ddau yn arolygwyr arnaf pan oeddwn yn weinidog ifanc yn Aberdaron. Gallai Maurice bregethu'n daranllyd a grymus ac mae'r genedl gyfan yn cydnabod Tudor fel un o'n prif emynwyr; rhyfeddwn ar linell fel "Yn llusgo byw yng nghysgod bedd".

Ie, gweinidogion symudol oeddem ni, a chofiaf un arall o gewri'r Presbyteriaid, J. W. Jones yn croesawu gweinidog Wesle newydd i Gonwy gan ddatgan, "Aros mae'r mynyddau mawr, rhuo drostynt mae y gwynt!"

Edrychwn ar luniau a dynnwyd dyweder ddeugain mlynedd yn ôl ac mae llond sêt fawr o blant a dydi gwalltiau'r oedolion ddim bron bob un yn wyn!

Cofiaf fy mhrofiad ym Mhen Llŷn yn gofalu am bedwar capel, pob un â'i ysgol Sul, a'i 'Fand of Hope', ac yn gorfod llogi dau fws yn aml ar gyfer y Trip Blynyddol. Cynhelid Seiat neu Ddosbarth Beiblaidd ym mhob un o'r capeli. Erbyn heddiw caewyd capeli Aberdaron, Uwchmynydd a'r

Tyddyn. Yn y Rhiw, dyrnaid o ffyddloniad sy'n cadw'r drws yn agored.

Un o brif ddigwyddiadau'r flwyddyn oedd Cymanfa Bregethu Rhoshirwaun a gynhelid bob mis Awst yn neuadd sinc y pentref. Gallech glywed pump o bregethwyr – un o bob enwad – pob un yn traddodi dwy bregeth, deg pregeth i gyd. Traddodid dwy bnawn Mercher, dwy gyda'r nos, a dwy'r bore, pnawn a nos Iau. Cred rhai nad Cymanfa ond Cystadleuaeth oedd yr ŵyl a phob enwad yn awyddus i'w pregethwr nhw gael ei ganmol fwyaf! Mae'r ŵyl yn dal er bod llai yn bresennol.

Wedi symud i Ryd-y-foel ar hen Gylchdaith Abergele roedd natur y bobl yn wahanol ond erbyn heddiw, er nad yw'r dirywiad lawn mor arw, collwyd dau o'r pum capel oedd dan fy ngofal. Ar Gylchdaith Llangollen, aeth Seion, Llangollen yn eglwys undebol, caewyd Pentre-dŵr a Phontfadog ond, er nad yn gryf, mae'r Rhewl a Glyn-dyfrdwy yn dal ati.

Yr un yw'r stori yn y dinasoedd. Ar lannau Mersi collwyd pob capel Wesle, yn Llundain mae'r uno a'r cau; ymhlith yr holl enwadau yn ffaith. Capeli enwog yr Annibynwyr, Kings Cross a Radnor Walk, wedi cau, capeli Holloway, Woodgreen ac eraill oedd yn perthyn i'r Presbyteriaid wedi uno. Bomiwyd capel Wesle City Road yn ystod y rhyfel ac yn fwy diweddar gwerthwyd capel Chiltern Street. Ond wrth ymweld â'r capeli mae rhywun yn synnu weithiau wrth weld cynnydd a rhyw ysbryd gobeithiol.

Un o nodweddion yr enwad Methodistaidd – y Wesleaid

– oedd ei phregethwyr cynorthwyol a nhw oedd yn cynnal dwy oedfa allan o dair. Oherwydd prinder y plant a'r ieuenctid heddiw, ni chodwyd rhai â'r awydd i gymryd rhan yn yr addoliad ac i geisio pregethu. A daeth hyn yn fwy amlwg yn ystod yr ugain mlynedd diwethaf.

Yn y saithdegau a dechrau'r wythdegau ar fore Sul yn aml cychwynnais o Landudno i fynd i Gwm Penmachno a thri o bregethwyr efo fi yn y car a'u gollwng wrth fynd i fyny'r dyffryn – Idris Williams, hwyrach, yn Eglwys-bach, Moses Roberts yn Llanrwst ac un arall ym Mhenmachno. Rhaid oedd cofio eu cario adref ar ôl yr oedfaon! Un Sul anghofiais Moses Roberts ac fe gerddodd tua thair milltir adref! Ond un llawn maddeuant a hwyl oedd Moses, cyn chwarelwr, garddwr a bowliwr o fri ac yn eithriadol o boblogaidd.

Yn yr un cyfnod roedd pedwar brawd, yn enedigol o Faenan yn cychwyn i'w cyhoeddiad: Idris Owen o Eglwys-bach, Howel Owen o'r Gyffordd, Tom Owen ar gefn ei fotor beic o Lanrwst ac ym Mhontfadog Bob Owen. Dyna fagwraeth – pedwar brawd! Beth tybed oedd cyfrinach y cartref hwnnw?

Un o flaenoriaid Penmachno oedd y tenor enwog Richie Thomas, enillydd Ruban Glas yr Eisteddfod Genedlaethol ac ar fore Sul, a minnau'n pregethu o'r sêt fawr, byddwn yn sefyll yn agos ato yn ystod yr emyn a brolio wedyn. "Wyddoch chi efo pwy roeddwn i'n canu'r bore 'ma?"

Ond o un i un symudodd y teuluoedd o Benmachno a'r Cwm. Caewyd y chwarel a lle'r oedd 39 o siopau ym Mhenmachno yn 1949 heddiw, yn 2010, 'does dim un siop na Swyddfa Bost.

Proffwydodd y Parch. Gwilym R. Tilsley hyn yn glir yn ei gerdd – 'Cwm Carnedd':

Y capel mawr a weli – ar y Sul
Tyrrai'r saint i'w lenwi;
Heddiw nid oes i'w noddi
Yn ei dranc ond dau neu dri.

Nid yn unig daeth oes y chwareli i ben ond bu daeargryn o newid ym mywyd y ffermwyr a'u gweision.

Yn y trefi, megis Llandudno, lle gynt roedd llawer o deuluoedd cefn gwlad yn ymddeol a'u traddodiad crefyddol yn dal yn fyw, prin bod hynny'n digwydd o gwbl heddiw. Ac aeth llawer o'n hieuenctid oddi cartref i golegau a gyrfaoedd deniadol. Ni all bywyd y rhan fwyaf o'r wlad gystadlu â'r cyfle a'r sialens yn y dinasoedd mwy.

Nid yw Cymru yn wahanol i unrhyw wlad arall a'r un stori o drai a lleihau sydd yn yr eglwysi traddodiadol. Mae eglwysi o naws pentecostaidd yn aml yn llwyddo. Eglwysi annibynnol fel arfer yw'r rhain ac ar hyd a lled y wlad ceir cynulleidfaoedd cryfion yn llawn hyder a menter.

Yn Llandudno penderfynwyd uno i fod yn un gynulleidfa o Ionawr 1af 2000. Gwerthwyd y Capel Wesleaidd i Eglwys Goptic yr Aifft; mae fflatiau wedi eu codi lle bu Capel Annibynwyr Degannwy Avenue ac mae gobaith y bydd Tabernacl y Bedyddwyr yn dod yn ganolfan hanes a thraddodiad. Ymunwyd Seilo gyda'r capel Presbyteraidd, sydd heddiw yn gartref i Eglwys Unedig Llandudno ac yn aml ar fore Sul ceir tua chant o addolwyr yn bresennol. Dyma lwyddiant eithriadol yn sgîl yr uno hwn.

Pennod 14

Ambiwlans, dŵr a sgidiau!

Ar ddechrau'r wythdegau bu farw dau o'r gweinidogion ar Gylchdaith Arfon, cylchdaith yn cyrraedd o Benmaen-mawr i Ben-y-groes. Lladdwyd y Parch. George Brewer mewn damwain fotor beic. Gŵr ifanc unigryw oedd George yn medru mynd i mewn i fyd pobl ifanc ac mewn gwirionedd yn un ohonyn nhw. Y llall oedd y Parch. Alun Francis, heb gyrraedd ei chwe deg ac yn arolygwr Cylchdaith Arfon.

Teimlai'r enwad fod yn rhaid cael gweinidog ych-wanegol i'r Gylchdaith a phenodwyd fi i lenwi'r bwlch o 1982 ymlaen. Rhaid cyfaddef i mi fod yn dra anfodlon ar y penderfyniad. Roeddem yng nghanol gwaith pwysig yn Llandudno oherwydd i'n dyddiau fel eglwys yn adeilad Ebeneser ar Lloyd Street ddod i ben a'r les gan Stad Mostyn wedi gorffen. Roeddwn wedi arwain pryniant capel Rehoboth, eglwys Bresbyteraidd gynt, fel cartref i'n cynulleidfa yn Llandudno a'r gwaith o brynu heb ei gwblhau. Ond rhaid oedd plygu i'r drefn a symud i ofalu am ran o Gylchdaith Arfon

Parhawn i fyw yn Llandudno a theithio'r ychydig filltiroedd i'r Gylchdaith newydd. Y pryd hynny roedd y traffig yn drwm ac yn aml yn araf a minnau am gyrraedd y cyhoeddiadau Sul yn brydlon. Nid oedd y twnnel dan afon Conwy wedi ei orffen ac i wneud yn siŵr fy mod i'n cyrraedd cyhoeddiadau mewn pryd rhaid oedd rhoi digon o amser sbâr a chychwyn yn gynnar rhag ofn bod y traffig neu ryw rwystr arall yn achosi oedi.

Un bore Sul, cychwynnais yn fuan ac roedd y ffordd o Landudno i Benmaen-mawr yn glir heb rwystr o gwbl. Mentrais alw heibio a threulio ychydig funudau yn iard sgrap Raymond Hughes ar Forfa Conwy. Nid fy nghyfaill y Parch. Raymond Hughes oedd hwn ond Raymond arall! Galw roeddwn i er mwyn chwilio a oedd cadeiriau ar werth i un o'n capeli.

Na, doedd dim cadeiriau, ond ynghanol y sgrap a'r tugareddau roedd ambiwlans newydd sbon. Yn amlwg o'r sgwennu arno roedd wedi ei fwriadu i wlad Arabaidd. Ar ei flaen roedd arwydd mudiad y 'Red Crescent', sy'n debyg i fudiad ein Croes Goch ni. Deallais fod y cwmni oedd yn cynhyrchu'r moduron hyn wedi mynd i'r wal a Raymond wedi prynu'r ambiwlans mewn ocsiwn. Faint oedd Raymond eisiau am yr ambiwlans? Beth oedd y pris? Saith mil o bunnoedd oedd yr ateb a minnau'n meddwl sut a ble y gallwn ddefnyddio ambiwlans o'r fath.

Ar y pryd roedd newyn difrifol yn Ethiopia a'r newyddion ar y teledu yn dangos cyflwr y plant, eu cyrff wedi chwyddo oherwydd newyn a miloedd o bryfed o'u cwmpas. Onid oedd rhyw ddefnydd i'r ambiwlans yn Ethiopia?

Y bore ar ôl gweld yr ambiwlans rhaid oedd mynd ar y

trên i Lundain i gyfarfod o bwyllgor y 'Methodist Relief Fund'. Prif fater yr agenda oedd yr angen yn Ethiopia a minnau'n sôn am yr ambiwlans a'i gynnwys. Roedd stretchers a pheiriannau o bob math ynddo. Oni allem ei brynu a'i anfon fel clinig symudol i helpu yn argyfwng Ethiopia? Roedd pawb yn cytuno y byddai'n symudiad da ond beth am i Ogledd Cymru fynd ati i godi'r arian ac i holi a gwneud y trefniadau. Her! Sialens! Ac er gwaetha'r nerfusrwydd wrth fynd ati i godi'r miloedd angenrheidiol roedd cyfle arbennig yma.

Pan gyhoeddwyd y *Weekly News* y bore Iau wedyn roedd yr Apêl yno. Cafwyd ymateb anhygoel ac o fewn tridiau cynhaliwyd cyfarfod yn Ngwesty'r Castell, Conwy. Staff Ysbyty Groesynyd oedd y cyntaf i gyrraedd efo casgliad sylweddol a wnaed yn yr ysbyty. Wedyn rhaeadr o ymdrechion a rhoddion. Teithio i'r Bermo i dderbyn £300 oddi wrth un dosbarth yn yr ysgol yno, plant saith oed wedi trefnu Noson Goffi a chyfrannu eu pres poced i'r apêl. Cael croeso llond stryd o bobl yn canu carolau ym Mhorthmadog a thros £1000 yn rhodd. Teulu o ochrau Pontblyddyn yn Sir y Fflint yn gwneud elw o gannoedd mewn noson o gystadleuthau yn eu cartref. Casglwyd digon i dalu £7,000 am yr ambiwlans a £12,000 ar ben hynny i lenwi'r modur efo cyffuriau, teiars a llawer mwy ac wedyn digon dros ben i brynu landrofer arall.

Rwy'n cofio'n dda mynd draw i Ddyserth a hithau'n bwrw eira ond roedd tyrfa o blant ac oedolion i'n derbyn yno efo rhoddion o flancedi roedd y plant wedi eu gwau a'u pwytho.

Erbyn Sul ola'r flwyddyn ni allech roi dim mwy yn yr ambiwlans! Cynhaliwyd gwasanaeth ffarwelio yn Eglwys Bresbyteraidd Llandudno a'u gweinidog, fy nghyfaill W. O. Jones, a minnau'n cychwyn ar ein taith. Mynd i Hull a chael llong drosodd i ni'n tri – W.O., minnau a'r ambiwlans i Zebrugge. Oddi yno teithio ar hyd cwrs y Rhein i'r Almaen ac Awstria. Roedd rhodd cantorion Porthmadog wedi talu am dymherydd awyr ar gyfer gwres Ethiopia ond doedd dim i gynhesu'r ambiwlans wrth i ni deithio drwy ardaloedd rhew ac eira! Y rheini'n dew wrth i ni deithio'r Fern Pass a ffenestri'r ambiwlans yn rhewi drosodd. Roedd W.O. yn gyrru a minnau hanner ffordd rhwng y ffenestr ochr a'r bonet yn gwneud fy ngorau i gadw'r ffenestr flaen yn glir. Cyrraedd ardal Innsbruck a phentref o'r enw Nasareath. Cael gwesty dros nos yno ond yn gyntaf dadmer, a fûm i erioed yn oerach!

Ymlaen ar ein taith i weithdy Claudio Girelli yn Verona. Wedi cyrraedd yno trosglwyddo'r ambiwlans i'w gofal i fynd ar fordaith efo moduron eraill i ogledd Affrica ac i Ethiopia. Wedi cyrraedd Affrica roedd yr ambiwlans i fynd i Tigre, lle roedd gwir angen.

Cynhaliwyd gwasanaeth gan y Pab yn Rhufain i fendithio'r ymgyrch i helpu'r rhai oedd yn dioddef ac yn marw oherwydd y newyn. Rhaid oedd i W. O. Jones a minnau droi yn ôl am Gymru.

Yn Ethiopia addaswyd yr ambiwlans i fod yn glinig symudol ac yn fuan wedyn prynwyd yr ail gerbyd a phedwar o feddygon o Bontypridd yn teithio i'r un ardal er mwyn helpu'r cannoedd o filoedd oedd mewn argyfwng.

Roedd 'Cymru – Ethiopia Ambiwlans' wedi ei argraffu ar ochr yr ambiwlans ac ym mhob bwletin teledu am y newyn mawr roeddwn yn chwilio am lun ohono. Chafwyd mo hynny, ond cafwyd llythyr o werthfawrogiad o Tigre, Ethiopia yn adrodd i gannoedd gael help drwy'r rhodd hon o Gymru.

Argyfwng gwahanol oedd angen y plant mewn gwersyll rhwng Iran ac Irac. Oedd y rhyfel yn mynd ymlaen a minnau'n cael galwad ffôn oddi wrth Rod Jarvis o'r 'Pioneer Rescue Officers'. A oedd yn bosib cael peiriannau puro dŵr er mwyn sicrhau diod diogel i ryw 400 o blant? Roedd rhai o'r Swyddogion Achub wedi dod ar draws plant yn erfyn am ddiod o ddŵr glân. Dyna'r cwbl y gofynnent amdano – diod o ddŵr glân, saff i'w yfed. Heb lawer o gynnwrf cafwyd ymateb nifer o gefnogwyr ac anfonwyd rhyw ddeg peiriant i'r gwersyll. Sefydlwyd y 'Welsh Water Lifeline' heb neb llai na'm hen gyfaill, a fu'n swyddog UNESCO, John Trefor Jones, yn gyd-swyddog â mi ac yn drysorydd yr apêl. Mab oedd John i Mrs J. T. Jones a fu cymaint o ddylanwad Rhyddfrydol arnaf.

Codwyd wedyn tua £49,000 i anfon peiriannau tebyg i wasanaethu yn Gomer, Rwanda. Enwyd y prosiect yn 'Welsh Water Dragon'. Purwyd dŵr ac agorwyd ffynhonnau newydd i sicrhau dŵr diogel ac i atal afiechydon. Un o'r negeseuon gorau a gefais erioed oedd ffacs un bore: "We've stopped cholera dead in our patch." 1,400 o blant amddifad y rhyfel yn cysgodi mewn hen sinema ac wedi cael yr ymwared yma.

Wedi iddo ymddeol aeth Iorwerth, mab y Parch. John

Alun Roberts, a'i briod Tora i weithio'n wirfoddol efo mudiad Watoto yn Kampala, Uganda. Ystyr 'watoto' yw 'plant'. Sefydlwyd pentref, sydd ar hyn o bryd yn gartref i 1,500 o blant amddifad sydd wedi gweld eu rhieni'n marw o AIDS. Er mwyn tynnu sylw at y broblem aruthrol hon ac i ennill cefnogaeth i dalu am y gwaith mae corau plant Watoto yn teithio ymhell i Ewrob a Gogledd America ac yn cynnal cyngherddau.

Yn ystod hydref 2006 ac wedyn yn 2009 trefnwyd cyngerddau yng nghapel senedd San Steffan – Capel St Mary Undercroft – ac wedyn cafwyd te ym mhrif ystafell fwyta Tŷ'r Arglwyddi. Ni chofiaf i mi glywed neb arall ond plant Watoto yn gofyn bendith mewn cân yn yr ystafell hanesyddol hon cyn dechrau ar y te. Ofnwn braidd y byddai Black Rod yn dod draw i'm ceryddu! Ond yn lle hynny cafwyd cymeradwyaeth gynnes iawn (a chefnogaeth) i'r caneuon.

Cyn hynny anfonais air i holi a oedd rhyw anrheg y gallwn ei rhoi i'r plant. Cap pêl-fas? Crys T? Yr ateb oedd bod angen esgidiau gaeaf ar y plant – deunaw o blant! Roedd hyn dipyn mwy na'r arian mewn llaw a holais un neu ddau o gwmnïau a oedd modd cael help efo hyn. Llwyddo trwy i siop John Lewis, Oxford Street, Llundain ein cysylltu â chwmni Start Right a hwythau'n cynnig pâr o esgidiau rhad ac am ddim i bob plentyn. Gorfoledd! Ond mwy na hynny, dywedodd yr eneth a drefnodd mai nhw oedd y cwmni oedd yn gofalu am esgidiau i'r teulu brenhinol – Cwmni efo'r 'Royal Warrant'! Mwy o orfoledd wrth feddwl i'r un math o esgidiau ag a fu ar draed y

Tywysog Harri, y Tywysog William a'r Dywysoges Eugene rŵan fod ar draed plant tlawd ac amddifad Kampala! Rydym yn cadw'n cysylltiad â Watoto ac mae'r eglwys unedig yn Llandudno wedi cefnogi gyrfa academaidd bachgen o'r enw Julius.

Roedd Iorwerth ac eraill yn awyddus i mi deithio i weld y gwaith yn Uganda drosof fy hun. Mewn sgwrs dywedodd Iorwerth i'w wraig Tora orfod mynd yn ôl i Oslo, Norwy. Gofynnais beth oedd y rheswm – "Malaria go drwm," meddai, "ond rhaid i ti ddod er bod cholera hefyd yn broblem ar hyn o bryd, ond ddylai hynny ddim bod yn rhwystr". Dangos llun i mi o ddyn efo bwa a saeth a minnau'n gofyn beth oedd pwrpas yr arfau. "I gadw'r llewpard draw yn ystod y nos" oedd yr ateb. "Ond cofia ddŵad!" Hyd yma ni fentrais i Kampala ond rhaid mynd ryw ddiwrnod.

Rhan o'm gwaith yn Nhŷ'r Arglwyddi yw trin problemau'r digartref a'r rhai sy'n cysgu ar y strydoedd. Daw llawer o'r rhain o ddwyrain Ewrob, yn enwedig o Wlad Pwyl, a chydweithiwn â phrosiect Barka i helpu'r rhai sydd wedi methu ym Mhrydain. Trefnir bws bob pythefnos i gludo rhai yn ôl i Posnan yng Ngwlad Pwyl. Yno mae ffermydd a gweithdai i'w helpu i ailafael mewn bywyd. Problem y ddiod ac afiechyd meddyliol sydd y tu ôl i lawer o'r problemau ond mae mudiad Barka wedi achub cannoedd o bobl ac wrth ymweld â nhw yng Ngwlad Pwyl rhyfeddwn at eu llwyddiant.

Pennod 15

Cerdded tua'r bae

Mae llawer un wedi protestio mwy na fi. Doeddwn i ddim yn malu arwyddion ffyrdd ac yn paentio'r byd yn wyrdd. Hwyrach y dylwn i fod wedi ymuno â rhai o'r protestiadau hyn. Roeddwn i'n ymgyrchu mewn ffordd dawelach (hwyrach, mewn ffordd arafach a mwy rhyddfrydol?) Yn sicr, nid ofer oedd y protestio i gyd a rhoddwyd mwy o sylw i'r iaith a'r genedl. Rwy'n parchu'r rhai a aeth i garchar dros yr iaith er nad dyna'r ffordd a gymerais i. Ond dwi'n gorfod amau'r sloganeiddio sy'n amharu ar harddwch y wlad.

Dylwn fod wedi protestio'n fwy cyhoeddus yn erbyn boddi Tryweryn. Ddeugain mlynedd ar ôl hynny cefais, drwy law'r Cynghorydd Mike Storey, arweinydd Cyngor Lerpwl, yr ymddiheurad i drigolion y fro ac i Gymru gyfan am y weithred ddifrifol honno.

Roeddwn ymhlith y gorymdeithwyr yn erbyn apartheid ac yn ei chael yn anrhydedd i ymgyrchu efo rhai fel Desmond Tutu, Trevor Huddlestone ac, wrth gwrs, y cawr ei hun, Nelson Mandela. Mae unrhyw wahaniaethu rhwng pobl oherwydd eu lliw, cenedl, iaith a rhyw yn gwbl annerbyniol ac yn felltith. Dyma lle mae Cristnogaeth a gwleidyddiaeth ryddfrydol yn un.

Roedd yna lawenydd eithriadol o weld Barak Obama yn ennill yr etholiad yn yr Unol Daleithiau a'i sefydlu'n arlywydd yno. Dim ond deugain mlynedd ar ôl i Martin Luther King freuddwydio y câi ei blant eu barnu nid yn ôl lliw eu croen ond oherwydd ansawdd eu cymeriad. Daeth awel o obaith dros nid yn unig yr Unol Daleithiau ond dros y byd i gyd.

Efo criw o Ddyffryn Ogwen fe orymdeithiais yn erbyn Trident a theithio eto i Lundain i fod yn un o'r miliwn yn cerdded yn erbyn rhyfel Irac.

Gartref roeddwn yn un o arweinwyr y frwydr i ddiogelu dyfodol Ysbyty Llandudo a gwneud hynny am ugain a mwy o flynyddoedd. Bu eraill o'm blaen i a rhaid peidio ag anghofio rhai fel Sam Owen, Cwm Place a'i ffrindiau. Oni bai am yr ysbyty buaswn wedi colli Eirlys flynyddoedd cyn ei marwolaeth; hefyd, Gareth fy mab. Mae'n werth gorymdeithio dros yr ysbyty.

Pan oeddwn yn fyfyriwr roeddwn yn gefnogol i fudiad Senedd i Gymru ac yn casglu cannoedd o enwau i'r Ddeiseb yn y brifysgol ac yn y rhengoedd Rhyddfrydol. Roedd Senedd yn rhan amlwg o'n polisi. E. T. John pan oedd yn aelod seneddol Rhyddfrydol a gynigiodd yn 1913 y mesur cyntaf i sicrhau'r math yma o ddatganoli.

Rwy'n cofio'r poster a ddyfeisiwyd pan oedd Dr Mostyn Lewis yn ymgeisydd yng Nghonwy yn 1959 – Let England Wales Ireland Scotland have Home rule! L.E.W.I.S a hunanlywodraeth.

Siomedig oedd canlyniad refferendwm 1979 efo pob un o siroedd Cymru yn pleidleisio yn erbyn datganoli. Pob clod i lywodraeth Lafur 1997 am gadw eu haddewid a chael yn fuan refferendwm arall i gynnig Cynulliad i Gymru. Noson y pleidleisio roeddwn yn stiwdio'r BBC ym Mangor a'r canlyniad yn edrych yn dywyll iawn. Roeddem yn colli'r bleidlais a dim ond canlyniad Caerfyrddin i ddod! Dyna floedd o orfoledd a'r canlyniad olaf hwn yn cario'r dydd. Roeddem yn mynd i gael Cynulliad i Gymru.

Mae deng mlynydd wedi mynd heibio ers sefydlu'r Cynulliad a'r blaid Lafur yn brif bartner llywodraethu, yn gyntaf efo'r Democratiaid Rhyddfrydol ac yn awr efo Plaid Cymru. Ychydig amser gafodd Alun Michael fel Prif Weinidog Cymru ond yn Rhodri Morgan cawsom arwein-ydd a llawer o barch iddo ym mhob plaid. Yn niwedd 2009 etholwyd Carwyn Jones i'r swydd.

Yn fy mhlaid fy hun, wedi i Michael German, arweinydd cyntaf y grŵp ymddeol, etholwyd Kirsty Williams yn arweinydd.

Dal i ddod o hyd i'w draed y mae'r Cynulliad a'r pleidiau'n dysgu cydweithio. Daw pleidlais eto i roi mwy o awdurdod pryd, gobeithio, y cawn yr hawl i ddeddfu ac, os oes rhaid, i godi treth. Bydd hyn yn gwneud gwahaniaeth pendant oherwydd ar hyn o bryd mae'n rhaid i'r Cynulliad geisio caniatâd y senedd yn Llundain.

Ni sefais am y Cynulliad ond, yng Nghonwy, rhoi cef-nogaeth lawn i Christine Humphreys. Enillodd sedd restr yng ngogledd Cymru a phiti garw oedd iddi orfod ymddiswyddo oherwydd iechyd. Cymerwyd ei lle gan

Elinor Burnham. Fy nheimlad oedd bod angen lleisiau ffres ac ieuangach na mi. Hefyd, roeddwn ar yr un pryd yn ymgeisydd i Senedd Ewrop. Un swydd ar y tro!

Disgwyliwn Refferendwm i roi mwy o bwerau i'r Cynulliad. Hwyrach y ceir hwnnw yn hydref 2010, neu wanwyn 2011.

Pennod 16

Colli ac Ennill

Fel gweinidogion rydym, diolch am hynny, bob un yn wahanol. Mae un yn dda efo plant, y llall yn gerddor heb ei ail, un eto wrth ei fodd yn gofalu am adeiladau a chlywais am un yn arbenigo mewn gwneud marmaled i'w werthu mewn boreau coffi ac yn siŵr i chi, nid y fi oedd hwnnw!

Wrth bwyso a mesur cymwysterau gweinidog bydd dadlau ynglŷn â'r dewis, os hynny hefyd, rhwng pregethwr da a bugail gofalus. Clywais am ambell un nad oedd neb yn ei weld rhwng y Suliau ond ar y Sul yn pregethu fel un o'r hoelion wyth ar ôl treulio oriau lawer yn y stydi.

Rwy'n difaru tipyn na threuliais fwy o amser yn astudio ac yn paratoi ond fy mhleser i oedd pobl ac ymweld â phobl. Mae gweinidog yn ymweld ag aelwydydd mewn cannoedd o amgylchiadau gwahanol ac, yn aml, dim ond cydio mewn llaw neu wasgu ysgwydd sydd yn bosib oherwydd nad oes dim geiriau o gysur yn ddigon. Fy nghyngor i unrhyw weinidog ifanc yw sicrhau ei fod yn caru'r bobl. Os gwnewch hynny yn gwbl ddiffuant cewch faddeuant am fynydd o wendidau.

Un waith yn unig y mentrais yn ddibaratoad i bulpud ac roeddwn yn ifanc iawn ar y pryd. Dysgais wers galed y bore hwnnw! Na, bûm yn paratoi ond yn ceisio, fel arfer yn fwriadol, i bregethu'n syml a chartrefol. Rwy'n cofio'n dda baratoi pregeth y tybiwn y byddai'n arbennig ei dylanwad; yn wir, pregeth 'cyrddau mawr'! Un na fyddai ar John Evans, Eglwys-bach, Jubilee Young na John Williams, Brynsiencyn gywilydd ohoni. Darllen paragraff am yr oedfa yn y *North Wales Weekly News*: 'the Reverend Roberts preached a homely sermon.' Doeddwn i ddim yn mynd i ysgwyd y genedl!

Cefais fwynhad yn rhannu'r 'cartrefol' efo'r ffyddloniaid o Sul i Sul ac yn gobeithio i mi fod o ryw gymorth. Roedd cyfnod pan oeddem yn cymryd pum oedfa'r Sul oherwydd y prinder pregethwyr. Rhywsut neu'i gilydd, nid oedd fy nghydweinidog Joe Haines Davies, ac yntau ugain mlynedd yn hŷn na fi, yn blinio ar ôl y fath Sul ond yr oeddwn i, ac erbyn heddiw dwy neu dair oedfa sy'n ddigon. Ni wn sut roedd yr hen bregethwyr, a hwythau'n taranu a dramateiddio, yn gallu pregethu hyd at awr o amser. Bu rhai galwadau i mi ymweld â chymanfaoedd a chyfarfodydd pregethu, ond cynhelid llai a llai o'r rhain fel yr âi'r blynyddoedd heibio.

Ni allaf anghofio Cyfarfod Pregethu yn y chwedegau cynnar yn Seion, Hirael, Bangor. Roedd y capel, y llawr a'r galeri, yn llawn. I gloi'r oedfa, ledio 'Rhagom Filwyr Iesu' i'r dôn St Gertrude a chlywed pobl yn stampio traed yn y galeri – yn martsio wrth ganu ac ailganu'r emyn – 'wrth fynd i'r gad yn hy'. Trwy ryw wyrth yr oedd Mrs Ethel Pauline Davies, yr organyddes, yn troi'r hen harmoniwn yn gerddorfa!

Cofio oedfa Cymry Gogledd America yn San Hose a minnau'n sôn am gyfraniad Cymry i'r Unol Daleithiau a bod hen nain Abraham Lincoln yn dod o Ysbyty Ifan yn Nyffryn Conwy– dyna'r dyrfa yn amenio ac yn clapio dwylo ar ganol y bregeth. Dim ond un waith y digwyddodd hynny!

Cefais eiliadau cysegredig iawn wrth weinyddu'r Cymun. Ambell dro'n arswydo wrth deimlo bod yr Iesu ei hun yn bresennol efo ni. Mae llawer cyfrol gwasanaethau ond, wrth gydio mewn hen lyfr ordinhadau a meddwl am y gweinidogion a fu'n defnyddio'r un llyfr am yn agos i gan mlynedd, arswyd eto.

Ac mae pob cynulleidfa yn gwybod am fy hoff emynau a thonau. Tybia rhai mai enw rhyw gariad ydi 'Blodwen', tôn W. R. Jones, Chicago (Ochr y Penrhyn cyn hynny) neu fy mod am enwi'r tŷ yn Llandudno yn 'Clawddmadog'! A diolch i'r organyddion sydd wedi fy ngoddef ar hyd y blynyddoedd.

Weithiau mae tinc gwleidyddol yn torri ar draws y dewis o emynau a thonau. Pan gipiodd y Rhyddfrydwyr sedd Dunfermline mewn is-etholiad yn yr Alban, braf y Sul canlynol oedd ledio'r emyn a chyhoeddi, 'Fe genir ar y dôn Dunfermline'.

Mae llawer stori am fedyddiadau, priodasau ac, wrth gwrs, angladdau ac mae'r gweinidog yn cael y fraint o fod yn rhan o deulu yn yr amgylchiadau hyn. Ie, caru a gwneud eich gorau i gynnal yw braint gweinidog. Does dim yn dyfnhau profiad yn fwy na chydymdeimlad unigolyn sydd wedi bod mewn sefyllfa debyg ei hun.

Bu farw fy mhriod Eirlys yn 57 oed yn 1995 wedi rhyw chwe blynedd o ddioddef o'r cancr. Ac er i rywun gredu ei bod yn bosib adrannu bywyd – un rhan ohonom i'r gwaith cyhoeddus, un arall i'r bywyd personol – ni lwyddais i i wneud hynny. Un person ydym ni a phob profiad yn dylanwadu ar yr unigolyn cyflawn. Mae profedigaeth yn ysgwyd y person cyfan.

Yn 1990 teimlodd Eirlys lwmp yn ei bron a bu rhaid wrth driniaeth sydyn a radiotherapi yn Ysbyty Clatterbridge wedyn. Er bod cwmwl drosom credem nad oedd yn rhaid poeni mwyach ond ym mis Chwefror 1995 dywedodd y meddygon i'r cancr gyrraedd yr esgyrn. Drannoeth wedi'r darganfod mynnodd Eirlys ddod efo fi a chanu mewn cinio dathlu. Daliodd i ddringo i'r organ yng nghapel Ebeneser a phythefnos cyn marw roedd yn paratoi ein hoff ginio dydd Sul er iddi fod, erbyn hyn, ar faglau. Un o'n hoff leoedd oedd Llyn Crafnant ger Trefriw ac rwy'n cofio'n glir yr ymweliad olaf ac Eirlys fel petai'n gafael yn dynn yn yr olygfa. Cludwyd hi i Ysbyty Glan Clwyd ond ar Dachwedd 22, 1995 dymunodd ddod adref i'r cartref yn Llandudno, a'r noson honno bu farw.

Collwyd hefyd fy rhieni ac eraill o'u cenhedlaeth nhw. Roedd fy Nhad wedi ailbriodi a mynd â'i briod ar daith reilffordd i Rufain. Yno mewn gwesty'n perthyn i'r Eglwys Gatholig bu farw yn ei gwsg. Roedd Mam wedi colli ei chlyw yn gynnar ac wedyn colli ei golwg. Ar ben hyn daeth y cancr yn elyn iddi. Blynyddoedd anodd iawn oedd blynyddoedd olaf fy mam. Bu farw yng Nghartref High Pastures, Degannwy.

Oedd, roedd rhannu rhai o brofiadau'r aelodau – eu poen a'u galar – yn galluogi rhywun i gydymdeimlo'n llawnach â'u cyflwr.

Ond roedd ochr ysgafn hefyd i waith gweinidog.

Mewn priodas, trio cael trefn ar dad y briodferch oedd yn feddw ac yn busnesu yn y ddefod – yn edrych dros fy ysgwydd a cheisio darllen y gwasanaeth efo fi! Priodas arall a dyma ni'n dod at y seremoni o fendithio'r fodrwy, y gwas yn chwilio yn ei boced am y fodrwy ond dod â chadwyn o oriadau allan, chwilio'r boced arall, agor ei ddwrn a hwnnw'n llawn o geiniogau. O'r diwedd, dod o hyd i'r bocs oedd i fod i ddal y fodrwy a'r bocs yn wag! Nid oedd yn briodferch yn gwerthfawrogi'r hiwmor. "Stop messing about," meddai hi dros y capel. A dyna'r fodrwy'n dod i'r golwg.

Ond daeth yr enillion!

Aeth Rhian o Ysgol John Bright i Goleg Holloway, Llundain ac wedyn i'r BBC, lle mae hi hyd heddiw, gan gynnwys cyfnod fel un o olygyddion 'Five Live'. Mae hi'n un o'r rhai sy'n trefnu symud llawer o waith y BBC i Salford. Priododd â Jeff Thomson o Seland Newydd ac mae dau o blant ganddynt – Haf Eleri Tui ac Osian Teifi Kia. Rhag i chi bendroni uwchben y Tui a'r Kia, enwau yw'r rhain ar ddau aderyn tlws iawn o Seland Newydd.

Aeth Siân o John Bright i Brifysgol Aberystwyth, yn llywydd yr Undeb Athletaidd, ac erbyn hyn yn brif swyddog yr 'Electoral Reform Society' yn Llundain. Nid aeth cyn belled â Seland Newydd i gael gŵr ond priodi â

Geoffrey Elliot o Ddegannwy ac mae dau o blant yno hefyd – Manon Eirlys a Megan Catherine.

Diolch am Ysgol John Bright, Llandudno oherwydd oddi yno aeth Gareth i astudio yn gyntaf i'r LSE ac wedyn i Goleg y Gyfraith yng Nghaer. Priododd ag Ines o Prenton, Penbedw a hyd yma mae tri mab, Reuben Llewelyn, Ianto Nathaniel ac Aiden Elias. Bargyfreithiwr yng Nghaer yw Gareth ac wedi ymladd etholaeth Conwy fel Democrat Rhyddfrydol yn etholiad 2005.

Ymhle mae dechrau rhestru cyfeillion? Rhai ers plentyndod, eraill mewn ysgol a choleg, a channoedd mewn capeli, eglwysi ac yn y maes gwleidyddol. Daeth rhai i'n bywyd yr union eiliad pan oeddem eu hangen, cyfeillion sydd wedi bod yn eithriadol o driw dros y blynyddoedd a chafwyd cymwynasau a charedigrwydd na ellid mo'u pwyso na'u mesur.

Hyd yn oed yn San Staffan, mae rhai o wahanol bleidiau wedi dod yn annwyl ac agos. Ni allwn i byth anghofio fy mhrofiad fel bugail praidd ac o bryd i'w gilydd mae hyd yn oed cewri'r bywyd cyhoeddus angen llaw i afael ynddi!

O ran pellter teithio, mae rhyw ddau gant ac ugain o filltiroedd o Dŷ Plant, Llanrwst i Dŷ'r Arglwyddi yn Llundain, ond o ran pellter gwareiddiad mae miloedd o filltiroedd. Rwy'n dal i ryfeddu i mi gyrraedd yno o gwbl, bachgen (fel yr oeddwn!) o gartref syml yn Nyffryn Conwy ac o deulu o seiri coed a chwarelwyr. Ac eto yn gallu dylanwadu ar gyfreithiau gwlad a chyfeiriad gwledydd a chyfarch rhai â'u teuluoedd yn rhan o hanes gwlad a byd.

Ym mis Rhagfyr 2009, roeddwn yn eistedd yn eglwys St.

Margaret, Westminster yng ngwasanaeth Nadolig y Senedd. Gwahoddwyd fi i fod yn un o'r darllenwyr y noson honno efo Llefarydd Tŷ'r Cyffredin, yr Arglwydd Ganghellor, ac arweinydd yr wrthblaid. Doedd dim sedd wag yn yr eglwys arbennig hon ac arweinwyr y wlad o'm cwmpas. Teimlwn dan deimlad rhyfedd wrth i mi feddwl be fyddai ymateb fy mam, morwyn fach ym Mhlas Cae Groes, Llanrwst, a'n nhaid yn cerdded i chwareli 'Stiniog.

Pennod 17

Tŷ'r Arglwyddi

Roedd 2009 yn flwyddyn arswydus i aelodau seneddol ac aelodau o Dŷ'r Arglwyddi.

Yn Nhŷ'r Arglwyddi cosbwyd dau trwy eu rhwystro am rai misoedd rhag cymryd unrhyw ran yng ngwaith y Tŷ. A'r rheswm am hynny oedd iddynt eu cael yn euog o drafod eu parodrwydd i dderbyn arian drwy gynnig gwelliannau i ddeddfau o flaen y Tŷ. Awgrymwyd i un gael cynnig £100,000 petai'n gwneud hynny. Eisoes roedd sôn i ambell un dalu miliwn o bunnoedd i goffrau plaid er mwyn cael ei ddyrchafu'n Arglwydd. Bu holi mawr a oedd ambell un yn talu Treth Incwm yma ym Mhrydain.

Yn Nhŷ'r Cyffredin cosbwyd rhai, collodd eraill gefnogaeth eu pleidiau a rhaid oedd i nifer dalu'n ôl arian a dderbyniwyd heb ei haeddu gan awgrymu i rai weithredu'n anonest ac o bosib wynebu carchar. Collodd Michael Martin A.S. ei swydd fel Llefarydd. Yr wyf yn arwain gweithgor i adennill hyder a pharch i'r Senedd. Mynydd go serth i'w ddringo.

Petai rhywun yn gofyn i mi ai fel gwleidydd neu weinidog yr efengyl yr hoffwn gael fy nghofio, heb eiliad o oedi atebwn mai fel gweinidog yn ceisio gweithredu ei ffydd drwy waith cyhoeddus yr hoffwn gael fy nghofio. Gweinidog yn gyntaf. Dau beth, medd rhai, na ddylid eu cymysgu yw crefydd a gwleidyddiaeth. Yn amlwg, ni allaf gytuno. Mae gwleidyddiaeth yn gyfle i weithredu egwyddorion Cristnogol.

Ers blynyddoedd bûm yn weithgar yn wleidyddol ac roedd swyddogion ac aelodau eglwysig yn hynod o oddefgar. Etholwyd fi yn Llywydd y Rhyddfrydwyr ac wedyn y Democratiaid Rhyddfrydol yng Nghymru, Is-lywydd Prydain, yn ymladd etholiadau ac mewn gweithgarwch cyhoeddus arall. Yn fy mhlaid fy hun daeth cannoedd a mwy i'm hadnabod a chydweithio â mi. Pan benderfynodd y Democratiaid Rhyddfrydol fod yr aelodau cyffredin i gael llais yn yr enwau oedd i'w penodi'n Arglwyddi agorwyd rhestr enwebu efo 183 o rai a gynigwyd gan yr aelodau. Aeth i bleidlais cynrychiolwyr y Gynhadledd a chefais y pedwerydd lle.

Disgwylwyd i'r arweinydd, y pryd hynny Charles Kennedy, i gynnwys y rhai oedd ar ben y rhestr wrth anfon enwau i'w penodi'n Arglwyddi gan y Prif Weinidog. Dyna sut y cefais yr anrhydedd – gweithgrwch y gorffennol a disgwyl mwy yn y dyfodol – 'Working Peers'. Yr oeddwn ar y pryd, fel y soniais eisoes, yn weinidog yr eglwys Gymraeg yn Toronto ac am rai misoedd bu oedi cyn cyhoeddi rhestr y rhai oedd i'w dyrchafu i Dŷ'r Argwyddi.

Cefais fy ngalw i Lundain i drafod y manylion. Pa bryd roeddwn i gael fy nghyflwyno? Yr ateb oedd Mehefin 30, 2004. Beth oedd fy nheitl i fod? Fel Roger Roberts mae pobl yn fy adnabod ac fe ofynnais am hwnnw – yr 'Arglwydd

Roger Roberts', ond wnâi hynny mo'r tro. Un enw'n unig medd y 'Garter King of Arms' ac enw tref neu ardal i fynd efo fo. Er i mi ddadlau bod eraill yn y gorffennol wedi cael cynnwys enwau personol doedd dim symud arno a finnau'n dechrau mulo! "Of where?" gofynnodd, braidd yn ddiamynedd a minnau'n ateb, a gobeithio y bydd pobl Môn yn maddau i mi, "Lord Roberts of Llanfairpwllgwyngyll-gogerychwyrndrobwll llantysiliogogogoch!" Gwelwodd ei ysgrifenyddes, "It will never go on the badge." A minnau wedi dofi ychydig, "of Llandudno" meddwn i, a dyna benderfynwyd. Gwrthodais dalu £5,000 am 'Coat of Arms' – ni fyddai'n edrych yn dda ar y Ford Fiesta!

Wrth gyfeirio at hyn, pan oeddwn yn ymweld â mudiadau i gynorthwyo'r digartref yng Ngwlad Pwyl gofynnodd un, drwy gyfieithydd, "Ydach chi yn Arglwydd?" "Wel, ydw," meddwn i. "Where do you keep your coach and horses?" Atebais, "The horse draws the Ford Fiesta when it breaks down!"

Felly, efo'r teulu a ffrindiau'n gwylio, cefais fy nerbyn. Dau o Arglwyddi Democrataidd Rhyddfrydol, Emlyn Hooson a Richard Livsey, oedd yn fy nghyflwyno. Efo Emlyn Hooson yn 1950, cychwynnais fod yn weithgar yn wleidyddol. Emlyn y pryd hynny oedd yr ymgeisydd yn etholaeth Conwy. Bu Richard Livsey a minnau yn gyfeillion ers llawer blwyddyn ac roeddwn wedi ymgyrchu drosto pan gipiodd sedd Brycheiniog a Maesyfed oddi ar y Torïaid yn is-etholiad 1983.

Roedd Arglwydd arall o gyfaill, Geraint Howells, newydd farw a mawr yw'r golled ar ei ôl. Un o'r radicaliaid gwerinol oedd Geraint, yn nhraddodiad Rhyddfrydiaeth Ceredigion. Dywedwyd pan gafodd ei ddyrchafu, yr amaethwr o Bonterwyd, i Dŷ'r Arglwyddi bod rhaid newid y Drydedd Salm ar Hugain: nid 'Yr Arglwydd yw fy mugail' ond 'Y Bugail yw fy Arglwydd'. Roedd arweinwyr y genedl yn ei angladd ym Mhonterwyd. Meddyliais ar y pryd, petai Al Quada am ddinistrio'r sefydliad Cymreig byddai un bom yn ddigon ym Mhonterwyd y diwrnod hwnnw.

Ar Fehefin 30, 2004 adroddais y llw yn Gymraeg yn ogystal a'r orfodaeth i'w ddarllen yn Saesneg. Mae'r ddogfen ar ran y Frenhines sy'n eich galw i Dŷ'r Arglwyddi yn gallu codi ofn ar ddyn:

'Whereas Our Parliament for arduous and urgent affairs concerning Us the state and defence of Our United Kingdom and the Church is now met in Our City of Westminster We strictly enjoining command you upon the faith and allegiance by which you are bound to Us that considering the difficulty of the said affairs and dangers impending (waiving all excuses) you be personally present at Our aforesaid Parliament with Us and with the Prelates Nobles and Peers of Our said Kingdom to treat and give your counsel upon the affairs aforesaid ...'

Beth fuasai'r hen deulu yn ei ddweud – y chwarelwyr, y tyddynwyr, y seiri coed, y morwynion? Pan etholwyd Thomas E. Ellis yn aelod seneddol dros Feirionnydd dywedodd rhywun fod diwrnod y gŵr a anwyd mewn bwthyn wedi gwawrio. Teimlais yr un ffordd ar gael fy nerbyn i Dŷ'r Arglwyddi.

Y cyflwyno yw'r unig dro mae'n rhaid gwisgo'r wisg goch. Daw'r cyfle arall, os yw un yn dymuno hynny, ar ymweliad y Frenhines i ddarllen yr araith sy'n agor blwyddyn newydd o'r Senedd. Am ddau ddiwrnod yn unig, yn wir am lai na dwy awr, bûm yn gwisgo'r 'ermine'.

Eisteddais ar y meinciau cochion ac amhosibl oedd credu'n iawn fy mod wedi cyrraedd yno. Roedd yn anrhydedd aruthrol ond nid braint yn unig; wedi'r cyfan, cefais fy newis er mwyn cyflawni diwrnod o waith.

Yr wythnos gyntaf, tra'n cael pryd o fwyd, sgwrsio efo Arglwydd tra enwog oedd yn eistedd gyferbyn a mi a gofyn iddo, "How long have you been here?" "Family was here in 1538," medda fo, ac yntau'n gofyn yr un cwestiwn i minnau. Fy ateb oedd "Last week!"

O fewn llai na phythefnos gofynnwyd i mi gynorthwyo am ryw awr fel chwip. Mynnodd y dirprwy arweinydd bod yn rhaid i mi eistedd wrth ei ochr ar y fainc flaen ac wedyn fe ddiflannodd yntau a minnau heb glem beth i'w wneud. Gallwn fod wedi dinistrio'r Democratiaid Rhyddfrydol y pnawn hwnnw! Dyma wraig, chwip Torïaidd, yn gweld y dyn newydd yn eistedd ar y fainc flaen ac yn dweud, "You shouldn't be sitting there, dear, you know. That's for front benchers" Atebais hi, "Don't worry, the cabin boy has taken over the liner for the afternoon!"

Rhaid canmol y criw Democrataidd Rhyddfrydol yn Nhŷ'r Arglwyddi. Pobl o brofiad a gallu. Edmygaf rai fel Eric Avebury, Shirley Williams, Bill Rodgers, David Steel, Paddy Ashdown a nifer o rai ieuangach sy'n abl iawn eu gwasanaeth. Dros Gymru, mae Richard Livsey, Emlyn

Hooson, Alex Carlile a Martin Thomas. Maent yn cyflawni gwasanaeth gwerthfawr eithriadol. Rwy'n gobeithio na fydd Plaid Cymru yn hir cyn cael sedd yn Nhŷ'r Arglwyddi. Eistedd ar y meinciau croes mae Dafydd Elis Thomas.

Yn ddiweddar bu dadlau cryf ar Fesur Iechyd Meddwl – ni chlywais well dadlau erioed gan fy nghyd-Ryddfrydwyr, John Alderdice, seiciatrydd a chyn-lefarydd Senedd Gogledd Iwerddon, Julia Neuberger, Rabbi a chyn-bennaeth y Kings Fund, Liz Barker, swyddog Age Concern, a'r meddyg Jennie Tonge ac Alex Carlile. Roedd profiad, gwybodaeth a gallu yr unigolion yma bron ynddo'i hun yn cyfiawnhau bodolaeth Tŷ'r Arglwyddi.

Erbyn hyn mae tua wyth deg o Ddemocratiaid Rhydd-frydol yn Nhŷ'r Arglwyddi. Ond braf, hefyd, yw gwneud ffrindiau efo eraill o bleidiau gwahanol. Mae'n debyg bod hyn yn haws yn siambr yr Arglwyddi nag yn Nhŷ'r Cyffredin. Mae cryn gydweithio rhwng nifer ohonom.

Ni feddyliais erioed y byddwn yn cael sgwrs â Mrs Thatcher, ond erbyn heddiw mae'n wahanol iawn i'r ddynes oedd yn cael ei chyfrif yn elyn gan lawer ohonom yng Nghymru. Cefais sgwrs fer tra oeddem yn y llinell i bleidleisio a'i hatgoffa mai Roberts oedd hithau cyn iddi briodi. Atebodd, "But that was a long time ago. I've been Thatcher for many years now." Ond, mae mwy nag un teulu Roberts; dydyn ni ddim yn perthyn! Un arall na chydymdeimlais lawer â fo oedd Ian Paisley ac mae ef a'i briod wedi eu dyrchafu i Dŷ'r Arglwyddi. Gall Dr Paisley sgwrsio'n garedig. A oes dwy natur iddo? Natur y cyfaill a'r gweinidog a natur fwy ymosodol a chaled, y gwleidydd yn rhuo fel tarw?

Cyn diwedd 2004 cefais gyfrifoldeb dan Richard Livsey ar faterion Cymreig ac yn llefaru hefyd ar ddatblygu'r trydydd byd. Efo'r hawl go iawn i eistedd ar y fainc flaen penodwyd fi yn Chwip swyddogol. Swydd Chwip yw gofalu am fusnes y Tŷ a chyfraniad aelodau ei blaid ei hun. Pan ddaw'n amser pleidleisio rhaid cael pob aelod posib yn bresennol. Trechwyd y Llywodraeth droeon yn Nhŷ'r Arglwyddi. Teg yw adrodd i record pleidleisio'r Democratiaid Rhyddfrydol ragori ar y gwrthbleidiau eraill. Ni chefais unrhyw drafferth mewn pum mlynedd fel Chwip i'w cael i gytuno a chyd-bleidleisio. Cofiwch, fel ym mhob perthynas arall, mae rhai yn haws eu trin nag eraill. Ond taw pia hi!

Rydwi'n sicr bod angen ail siambr petai ddim ond i ystyried manylion deddfau a chwestiynau. Mae ambell Fesur yn cael ei ruthro yn gyflym iawn drwy Dŷ'r Cyffredin ond mae angen darganfod y gwendidau cyn i'r Mesur ddod yn gyfraith gwlad. Wrth feddwl am ddyfodol Tŷ'r Arglwyddi rhaid sicrhau siambr ddemocrataidd ond mae'n anodd cael cytundeb ar y modd o ethol. Trueni fyddai colli profiad ac aeddfedrwydd cymaint o'r aelodau.

Erbyn heddiw, Tŷ'r Arglwyddi sydd fwyaf tebygol o amddiffyn yr hawliau sylfaenol ac yn llwyfan i syniadau rhyddfrydol. Er, ar faterion fel democrateiddio'r Tŷ neu hela mae'n anodd ei symud, yn enwedig y Torïaid, i gyfeiriad mwy radicalaidd.

Mae llawer gwell cyfle yno i siarad a holi ac mae

gwrandawiad eithaf boneddigaidd i bron bob cyfraniad. Ychydig iawn sydd wedi colli cydymdeimlad y siambr, ond weithiau mae'n bosib i hynny ddigwydd.

Mae materion yn ymwneud â phlant yn agos iawn at fy nghalon i. Ac efo'r cyfrifoldeb am faterion y trydydd byd cefais frwydro dros hawliau plant. Un enghraifft oedd pan gafwyd corff plentyn du yn afon Tafwys yr un adeg ag roedd cannoedd o fechgyn o Affrica yn mynd "ar goll" o restrau ysgolion Llundain, cymaint â chant y mis rhwng pedwar a saith oed. Be oedd yn digwydd iddyn nhw? Y perygl yw i rai gael eu cyhuddo o fod dan ddylanwad y diafol ac yn cael eu trin yn y modd mwyaf creulon. Mewn achosion eraill gellwch brynu plant ar strydoedd Angola am £10 yr un. Mae AIDS yn dinistrio poplogaeth rhannau o Affrica. Trwy drefniant Iorwerth Roberts (Oslo, erbyn hyn) roedd yn bleser croesawu plant Watoto, côr o blant rhwng chwech a thri ar ddeg oed, i Dŷ'r Arglwyddi, o Kampala, Uganda. Pob un o'r plant wedi colli rhieni trwy aflwydd AIDS. Ydi, mae'r byd yn greulon iawn tuag at filiynau o blant a'u teuluoedd. Rwy'n gobeithio cael dal i frwydro drostynt.

Mae helynt y mewnfudwyr, eu cyflwr a'r modd gorau i'w croesawu yn pwyso'n drwm arnaf. Gwaetha'r modd, nid yw dylanwad rhai o'r papurau newydd fel y *Sun* a'r *Daily Mail* ddim yn help o gwbl i greu cymdeithas sy'n croesawu'r mwyaf anghenus o bob rhan o'r byd. Mae agwedd y BNP a mudiadau tebyg yn gwbl anghristnogol. Ydw, dwi'n gweithio hyd eithaf fy ngallu i gynorthwyo pobl o fannau fel Afghanistan, Darfur a Zimbabwe. Braint oedd cydweithio â Chyngor y Ffoaduriaid a chael sedd gyda'r mawrion i araith y Frenhines fis Tachwedd 2009 i un o'r rhai o Zimbabwe sy'n ceisio lloches.

Tri pheth rwy'n falch fy mod wedi llwyddo arnynt yn Nhŷ'r Arglwyddi yw ennill hawl – *visas* – i gôr plant Watoto o Uganda sy'n ennill cefnogaeth i'r pentref yn Kampala trwy gynnal teithiau o gyngherddau; rhwystro gorfodi pobl hoyw rhag cael eu hanfon yn ôl i Iran lle mae nifer fawr wedi eu dienyddio, a sicrhau pleidlais bost effeithiol i'r 9,000 o filwyr Prydain sydd draw yn Afghanistan.

Ar faterion yn ymwneud â Chymru, bûm yn hynod brysur. Mesurau yn sefydlu Comisiynydd yr Henoed, Trafnidiaeth yng Nghymru, moderneiddio swydd yr Ombwdsman ac, wrth gwrs, yr hyn a ddaeth yn Ddeddf Llywodraeth Cymru 2006. Richard Livsey, Martin Thomas a minnau oedd yn arwain dros y Democratiaid Rhyddfrydol. Rwy'n credu, petaem ni wedi llwyddo i argyhoeddi'r ddau Dŷ o synnwyr ein gwelliannau y byddai'r Mesur yn llawer cryfach. Ond doedd dim symud o bwys ar y llywodraeth. Rwy'n pryderu llawer am yr hyn all ddigwydd ynglŷn â Dŵr yng Nghymru ac o Gymru i Loegr; mae Tryweryn arall yn bosib efo prinder dŵr yn y blynyddoedd sydd i ddod. Ond mae'r Mesur yn gam ymlaen ac yn rhoi mwy o hawliau i'r Cynulliad yng Nghaerdydd.

Un llwyddiant arbennig oedd eiddo'r Arglwydd Prys-Davies a'i gymal ar yr Iaith Gymraeg. Er bod angen ymestyn cyfrifoldeb y Cynulliad dros yr iaith Gymraeg. Hwyrach y bydd angen cyflwyno Mesur newydd ynglŷn â'r iaith. Rhoddai hyn hawl cyflawn dros yr iaith yng Nghymru i'r Cynulliad. Erbyn hyn cyhoeddwyd adroddiad y confensiwn ar ddyfodol llywodraeth Cymru ac yn sicr bydd trafod bywiog cyn i ni gael refferendwm.

Nid yn unig mae'n bosib mynegi barn a chael gwrandawiad ond, hefyd, cael dod i gysylltiad personol â Gweindogion y Llywodraeth a thynnu sylw at faterion sy'n achosi pryder. Tra bo'r Tŷ yn bod a minnau yno mae'n ddyletswydd defnyddio pob cyfle ar faterion sydd o bwys i ni.

Ar ddechrau pob dydd cynhelir amser o ddefosiwn ac, wedyn, ymlaen i'r cwestiynau. Pedwar cwestiwn y dydd a'r gweinidog yn gorfod ateb ond yn aml mae rhywun yn anfodlon ar gynildeb yr atebion ac ar gyn lleied o wybodaeth sy'n cael ei throsglwyddo. Ar ôl hanner awr o holi awn ymlaen i drafod deddf neu bwnc ac yn aml mae pleidleisio ar welliannau neu adrannau o Fesur. Mae llawer mwy o ryddid yn Nhŷ'r Arglwyddi nag sydd yn Nhŷ'r Cyffredin. Wedi'r holl drafod a phleidleisio credaf fod y deddfau, oherwydd Tŷ'r Arglwyddi, yn llawer cryfach a chyflawn.

Fel arfer, tua deg y nos y daw terfyn ar y sesiwn ac mae rhywun yn falch o gael mynd adref. Lle mae adref yn Llundain? Wedi cyrraedd ar y dechrau, roeddwn yn aros yn y Ganolfan Fethodistaidd yn ymyl gorsaf Euston. Symud o'r fan honno i ystafelloedd yn nes i'r Senedd. Darllenais fod fflat ar rent ar Ffordd Palas Lambeth. Ymhle ar ffordd Palas Lambeth? Yn y Palas ei hun! Cymro arall, yr Archesgob, sy'n byw yn y rhan fwyaf o'r Palas a minnau, y gweinidog Wesle, yr ymneilltuwr cyntaf i gael rhentu fflat yn y Palas. Mae'r wyrion yn credu mai fi yw brenin Cymru!

O Dŷ Plant i'r Palas! Trwy ffenestr y gegin rwy'n edrych ar Big Ben ac o fewn chwe munud i'r Senedd. Rwy'n dal i ryfeddu!

Sut dylem ni ddiwygio Tŷ'r Arglwyddi? Cynigiwyd ambell gynllun ond ni chytunwyd ar ddim.

Dywedodd David Lloyd George am y Tŷ yn 1910 iddo gynnwys rhai "chosen at random from the ranks of the unemployed!" Cenhedlaeth ar ôl cenhedlaeth o'r un teulu yn etifeddu'r anrhydedd. Erbyn heddiw dim ond 92 o'r Arglwyddi etifeddol hyn sy'n dal i eistedd yn y Tŷ. Mae'r lleill yn cynnwys 26 o Esgobion ac yn agos i 600 o Arglwyddi oes. Gan y pleidiau a'r Prif Weinidog mae'r awdurdod bellach.

Ar hyn o bryd, mae tua 200 o Arglwyddi Ceidwadol, 200 Llafur, 200 o'r meinciau croes, sef yn annibynnol, a 80 o Ddemocratiaid Rhyddfrydol.

Mae rhai a fu gynt yn Nhŷ'r Cyffredin yn synhwyro nad oes cymaint o ddrwgdeimlad yn Nhŷ'r Arglwyddi a bod tawelach gwrandawiad i'r rhai sy'n areithio. Yn Nhŷ'r Cyffredin, yn enwedig wrth holi'r Prif Weinidog, mae cymaint o dwrw nes iddi fod yn anodd i glywed yr hyn sy'n mynd ymlaen. Y broblem yw, wedi'r holl areithio synhwyrol yn Nhŷ'r Arglwyddi, mai ychydig iawn o sylw sy'n cael ei roi i'r trafod. Cyhuddir ni o gysgu ar y meinciau cochion. Efallai fod hyn yn wir weithiau ond rhaid egluro fod peiriannau clywed yng nghefn y seddau ac, fel arfer, nid cysgu ond gwrando'n astud mae'r Arglwydd sy'n edrych yn gysglyd.

Yn Nhŷ'r Cyffredin, oherwydd i rai, fel cefnogwyr hela, ymyrryd a bloeddio ar draws y trafod codwyd 'security screen' i gadw'r cyhoedd ar wahân i'r aelodau seneddol. Am ryw reswm, does dim sgrîn o'r fath yn Nhŷ'r Arglwyddi! Ydi hyn yn golygu nad ydym o lawer o bwys? Hefyd, yn anaml iawn, mae criw sylweddol o newydd-iadurwyr yn bresennol. Ac mae'r rhai sy'n gwrando ar y ddau Dŷ yn dweud fod safon y trafod yn Nhŷ'r Arglwyddi yn well o dipyn. Mae mwy o ryddid i bob un ohonom fynegi ei wir deimladau. Nid oes unrhyw bosibilrwydd o beidio cael ein dewis i ymladd mewn unrhyw etholiad; mae hyn yn fygythiad i aelodau Tŷ'r Cyffredin oherwydd os nad ufuddhant i bolisi eu plaid gallant wynebu anawsterau.

Sut y gallwn gael Tŷ'r Arglwyddi sy'n ddemocrataidd ac yn atebol i'r cyhoedd ac ar yr un pryd cadw'r profiad eang sydd yno? Meddygon fel yr Arglwydd Winston a'r Farwnes Ilora Finlay o Landaf, Athrawon fel yr Arglwydd Kenneth Morgan, cyn-bennaeth Prifysgol Aberystwyth ac un o'n prif haneswyr, yr Arglwydd Bill Bradshaw a fu'n un o ben-aethiaid y Rheilffordd, y llu o fargyfreithwyr sydd ar y meinciau Rhyddfrydol a'r penaethiaid diplomataidd a militaraidd? Ni fyddai'r rhan fwyaf o'r arbenigwyr hyn yn barod i sefyll etholiad a hwyrach yn teimlo'n rhy hen i wneud hynny oherwydd mai mewn meysydd eraill y bu eu gyrfaoedd. Ond gan y rhain y mae'r profiad a'r wybodaeth.

Nid yn unig gallwn gymryd rhan mewn dadleuon ond, yn wahanol i Dŷ'r Cyffredin, mae pob un sy'n rhoi ei enw ar yr agenda yn cael ei alw. Ar wahân i hanner awr y cwestiynau does dim rhaid neidio i fyny ac i lawr i geisio cael eich galw! Cawn y cyfle i holi'r gweindogion a'r llywodraeth ac mae'n rhaid i ni gael ein hateb.

Gofynnais ugeiniau, yn wir dros dri chant o gwestiynau ysgrifenedig ar nifer o bynciau. Gofyn am restr o enwau'r milwyr a laddwyd yn Afghanistan ac Irac gan gofio mai un o'r bechgyn cyntaf a gollodd ei fywyd yn Irac oedd Llywelyn Evans o Landudno.

Holi am ddiogelwch yr A55 yn enwedig efo'r lorïau tramor sy'n teithio ar ei hyd. Ai hon yw un o'r ffyrdd mwyaf peryglus yn y wlad?

Ceisio cael ystadegau Addysg ac Iechyd yng Nghymru ond mae hyn yn fwy anodd erbyn hyn am fod y Cynulliad yn gyfrifol. Rwy'n poeni nad yw cynlluniau newydd yn Lloegr ddim yn cael eu mabwysiadu yn yr Alban a Chymru.

Mae'n gyfle i holi'r llywodraeth ac weithiau dylanwadu ar eu polisi. Gan fy mod yn ymwneud â rhai sy'n ffoi rhag gormes, yn ceisio lloches, rhaid cadw llygaid effro iawn ar yr hyn mae'r llywodraeth yn ei wneud. Llwyddwyd i atal anfon y trueiniaid hyn yn ôl i Zimbabwe, Darfur a'r rhai mewn perygl i Iran. Ond mae'n rhaid brwydro bob tro.

Mae llawer o'r Mesurau ynglŷn â Chymru erbyn hyn yn cael eu trafod ym Mae Caerdydd ac yn sicr bydd datganoli yn dod yn fwy real byth yn y dyfodol. Ond mae gwaith o hyd i Gymro yn Nhŷ'r Arglwyddi.

Daeth Etholiad 2010 yn union bum mlynedd ar ôl yr

Etholiad Cyffredinol diwethaf yn 2005. Tywynnodd yr haul arnom wrth ymgyrchu a'r hin yn arbennig o addawol i'r Democratiaid Rhyddfrydol. Am y tro cyntaf cytunodd y pleidiau i ddarlledu tair dadl rhwng y Prif weinidog Gordon Brown, arweinydd y Ceidwadwyr David Cameron ac arweinydd y Democratiaid Rhyddfrydol Nick Clegg. Yn ôl pob arolwg barn Nick Clegg a gyfrifid y mwyaf effeithiol yn y ddadl gyntaf ac fe wnaeth argraff arbennig yn y gweddill efo dros 30% o'r etholwyr yn bwriadu pleidleisio drosto a'i blaid.

Yn bersonol teithiais i wahanol etholaethau – Swydd Amwythig, Brycheiniog a Maesyfed, Abertawe, Merthyr, Ceredigion, Sir Drefaldwyn, Dwyfor-Meirionnydd, Arfon, Wrecsam a'r rhan fwyaf o'r amser yn etholaeth newydd Aberconwy. Roedd nifer o raglenni teledu a radio ac ymweliad â Llundain i Fforwm rhyng-bleidiol "Christians in Politics" – nid y Gristnogaeth rydwi wedi arfer â hi! Gallwn gydymdeimlo â'r Arlywydd Obama yn ceisio curo'r eithafwyr cul-grefyddol yn yr Unol Daleithiau er mwyn gwireddu ei raglen Iechyd Cenedlaethol.

Roedd disgwyl mawr i'r Democratiaid Rhyddfrydol ennill dros 80 o seddau ond arafodd y "Cleggmania" a 57 o seddau a gawsom ar Fai 6ed.

Doedd yr un blaid efo digon o seddau i ffurfio llywodraeth wrthynt eu hunain. Am y tro cyntaf ers 1974 rhaid oedd i ddwy neu fwy o bleidiau gytuno i gyd-weithio er mwyn sefydlu clymblaid.

Fel radical Cymraeg efo ychydig iawn o gydym-

127

deimlad â'r Ceidwadwyr roedd yn siom pan fethodd y Democratiaid Rhyddfrydol a'r Blaid Lafur ddod i ddealltwriaeth. Yn syml doedd dim digon o seddau gan y ddwy blaid efo'i gilydd i sicrhau mwyafrif yn Nhŷ'r Cyffredin. Treuliais oriau efo gweddill fy mhlaid yn ceisio gweld ffordd ymlaen. Yr hyn a'i gwnaeth yn bosib i ni ddod i gytundeb â'r Ceidwadwyr oedd y ddogfen bolisi a gyhoeddwyd yn cynnwys yn agos i hanner cant o bolisïau o'n maniffesto Rhyddfrydol. Cynhaliwyd Cynhadledd arbennig yn Birmingham o fewn wythnos i'r etholiad ac o'r 2,000 oedd yn bresennol gwrthodwyd y cytundeb gan lai na dwsin o'r cynrychiolwyr. Roedd y sefyllfa economaidd mor ddifrifol fel bod yn rhaid i ni fod yn barod i gydweithio.

Wedi bod mewn gwrthblaid ar hyd fy oes od iawn oedd i mi a'm cyd-aelodau eistedd ar feinciau'r llywodraeth!

Dewisiwyd Nick Clegg yn ddirprwy Brif Weinidog a Chris Huhne, Danny Alexander, David Laws a Vince Cable yn aelodau o'r Cabinet. Mwy o Ryddfrydwyr mewn llywodraeth nag ers 1929! Y gobaith sydd gennyf yw y bydd yr elfen ryddfrydol yn ein cadw rhag polisïau Ceidwadol eithafol.

Ond, yng Nghymru collwyd sedd Trefaldwyn a hynny ond yr aildro mewn can mlynedd. Aeth mwyafrif Mark Williams yng Ngheredigion o 200 i dros 8,000. Y mwyafrif mwyaf ers deugain mlynedd a'r uchaf erioed mewn gornest bedair plaid. Cadwyd Brycheiniog Maesyfed a Chanol Caerdydd ac roeddem ychydig gannoedd o gipio Dwyrain Casnewydd a Gorllewin Abertawe!

Yn etholaeth Aberconwy yr ymgeisydd Rhyddfrydol oedd Mike Priestley ac unwaith eto roedd un allan o bob pump o'r etholwyr wedi pleidleisio dros y Democratiaid Rhyddfrydol.

Pennod 18

Tro ar fyd

Wrth gasglu atgofion mae rhywun yn sylwi cymaint o newid a fu yn ystod ei ddeng mlynedd a thrigain. "Roger, bach, cofia'r newid i'r rhai sy'n llawer hŷn na thi!" Digon gwir, ond cip sydyn ar fy mlynyddoedd i!

Yn Tŷ Plant, lamp baraffin oedd yn rhoi golau a 'dwi'n cofio mynd i bregethu i Tŷ Nant, Corwen ac aros yn y Tŷ Capel a mynd i'r gwely yng ngolau cannwyll.

Anrhydedd oedd cael troi handlan y mangl i Mam, ond mwy fyth troi handlan mangl mawr Nain Capel Garmon. Yn Hafodwyryd Penmachno, fferm fy nghefnder Dewi, yn helpu corddi a nôl dŵr o'r ffynnon.

Cael bath mewn twb sinc o flaen y tân ac allan i'r cefn i'r toiled. Pan ofynnodd Mrs Capten Huws, Conwy, a finnau'n hogyn rhyw chwech oed i mi fynd i'r siop i nôl neges iddi roeddwn yn ansicr beth oedd toiled rôl – Swiss Roll, ie, ond yn y toiled gartref sgwariau o'r *Daily Mirror* oedd ar yr hoelen.

Wedi i'r trydan gyrraedd Tŷ Plant mewn amser daeth yr haearn smwddio trydan ac aeth yr hen haearn roedd yn rhaid ei dwymo ar y grât glo i'r amgueddfa.

Pan ddaeth y trydan hefyd aeth yr hen 'wireless' hefo'i

batri gwlyb. Gwrando ar yr 'Home Service' neu'r 'Light Programme' a'r naid ar ôl y rhyfel i'r 'Third Programme' ond doedd y rhan fwyaf ohonom ddim yn gwrando ar hwnnw. Sawl sianel sydd heddiw? Ond i ble'r aeth 'Radio Luxemburg'?

Golchi dillad mewn twb neu foiler, defnyddio sebon, gwyn, melyn, coch neu wyrdd. Bwrdd sgwrio, 'doli' i wasgu'r dillad – i gyd wedi mynd! Daeth y peiriant golchi a'r 'tumble dryer' a *Daz*! Dim angen mwy i dynnu'r dillad oddi ar y lein pan oedd hi'n bygwth glaw neu'n rhewi.

Cofio'r Sipsiwns yn dod heibio i werthu pegiau.

Be ddigwyddodd i'r linoliwm? Hwnnw ddim yn cyrraedd i bob cornel o'r llofft a rhaid oedd peintio'r llawr o'i gwmpas. Mae'r dodrefn a'r cwbl wedi newid. I mi un o'r newidiadau gorau yw'r 'duvet' yn lle'r blancedi – llai o drafferth o lawer.

Cofio'r dynion glo yn cario sacheidiau o lo drwy'r tŷ yn Llewelyn Street, Conwy i'r sied yn yr iard gefn. Doedd hyn ddim yn help o gwbl i gadw tŷ yn ddi-lwch.

Yn y bore galwai'r gŵr llefrith a'i fesur i estyn y llefrith o'r can llaeth i'r jwg.

Mam yn trwsio sana – ychydig iawn sy'n gwneud hynny heddiw. Fy nhad yn rhoi sawdl newydd ar ein hesgidiau. Mynd â sgert Mam i Miss Roberts, Sea View Terrace i gael hem – costio chwe cheiniog! Beth oedd enw'r wraig ar Chapel Street oedd yn gwerthu poteli o ddiod dail? (rhyfedd i mi ddal yn llwyr ymwrthodwr!). Roedd gwraig arall, Mrs Smith (fish) yn gwerthu pysgod ar y sgwâr.

Cofio Mrs Parry, Alexandra Road, Llandudno yn dweud

wrthyf mai injan wnio a gafodd yn lle modrwy. Mae'r holl syniad o bwytho, gwnio a gwau yn perthyn i'r gorffennol .

Cerdded adre o'r capel ar fore Sul a chlywed o lawer o dai Oedfa Bore Sul ar y radio. Ar ôl yr Ysgol Sul clywed 'Caniadaeth y Cysegr'.

Defnyddio ffôn symudol, teledu, ceir ein hunain, carpedi trwchus, galw am dacsi, cael gwyliau a hedfan yno. Pnawn yn y Rhyl oedd gwyliau erstalwm.

Aeth y byd yn fychan iawn a'r modd o deithio mor wahanol – aeth yr injan stêm i'w sied ac yn lle bod Crewe yn holl bwysig i ni yn y gogledd, heddiw os am wyliau draw â ni i ddal awyren i Fanceinion neu Lerpwl.

Yna dyna ddyfodiad y cyfrifiadur. Mae hwn wedi newid llawer iawn ar fywyd. Daeth yr 'Internet' a'r modd o anfon cenadwri i bob rhan o'r byd mewn eiliad. Sgwennu pob math o ddogfennau a gallu eu cywiro ar y cyfrifiadur heb 'correcting fluid'. I ble'r aeth y papur carbon?

Wedyn arferiad o fynd allan yn aml i westy am bryd o fwyd. Dim oglau coginio ar lawer aelwyd! Y rhai sy'n coginio yn creu prydau o bob math ac o bob rhan o'r byd. Dydyn ni ddim yn cyfyngu reis i bwdin yn unig!

Mae'r rhestr o newidiadau yn wirioneddol ddi-ddiwedd. Be fasa Nain yn ei ddweud? Nain yn gwisgo'n llaes bob amser – sgert ddu, ffedog ddwbl ac ar ben honno ffedog fras – allan o ddeunydd sach. Gwallt nain Capel Garmon wedi ei glymu mewn bwn. Dim cosmetig na pherm gwallt erioed!

Clwb yr Ysgol Sul – a'r arian a gasglwyd yn talu am brydau ddydd Nadolig. Erbyn hyn pan mae Clwb cynilo casglant ugeiniau o filoedd o bunnoedd bob blwyddyn – aeth yr amser pan nad oeddem yn gallu fforddio dim ond chwe cheiniog neu swllt bob wythnos.

Dim archfarchnad ond siopau lleol a'u perchnogion yn gefn i'r gymdeithas. Collen Jones a'i frawd a'i chwaer yng Nghonwy yn cadw'r siop fara, a hefyd yn flaenoriaid yng nghapel Carmel; Mr Parr a'i siop bapurau ar y sgwâr; Mr Richards yn agor y 'milk bar' cyntaf yn yr ardal; Mr Ivor Parry efo siop bapurau a llyfrau yn cadw unrhyw lyfr *Just William* neu lyfr newydd gan Enid Blyton ar fy nghyfer; Mr Hindle y Groser ac oglau coffi ffres yn siop E. B. Jones, minnau'n siopa i Mam yn siop y Star ar y sgwâr!

Sgwennu hwn ar gyfrifiadur, y ffôn symudol yn canu, allan i'r car. Troi y goriad – dim eisiau handlan i droi'r injan, mynd am yr awyren. Hedfan i Efrog Newydd – nid mordaith o saith diwrnod ond taith o saith awr.

Tro ar fyd? Do – ni fuasai Nain yn coelio'r fath newid.